Czerwony rower

Antonina Kozłowska

Czerwony rower

Wydawnictwo Otwarte
Kraków 2009

Projekt okładki i fotografia na pierwszej
stronie okładki: **Kamil Rewieński**

Fotografia autorki na okładce: **Jacek Lenczowski**

Opieka redakcyjna: **Arletta Kacprzak**

Opracowanie typograficzne książki: **Daniel Malak**

Adiustacja: **Małgorzata Uzarowicz / d2d.pl**

Korekta: **Magdalena Kędzierska / d2d.pl,
Małgorzata Poździk / d2d.pl**

Łamanie: **Robert Oleś / d2d.pl**

ISBN 978-83-7515-021-6

 **www.otwarte.eu**

Zamówienia: Dział Handlowy, ul. Kościuszki 37, 30-105 Kraków
Bezpłatna infolinia: 0800-130-082
Zapraszamy do księgarni internetowej Wydawnictwa Znak,
w której można kupić książki Wydawnictwa Otwartego: www.znak.com.pl

– Chleba kupić, masła – powiedziała mamusia. – I pół kilo zwyczajnej, jak będzie, a jak nie będzie, to powiedz pani Eli, żeby dała, co jest. Masz tu kartki – dorzuciła jeszcze i wetknęła mu do kieszeni kufajki zwitek banknotów oraz prostokąciki brązowego papieru: kartki na mięso i masło. „Chleba i zwyczajnej, a jak mi coś zostanie, to piwko mogę sobie kupić albo ćwiarteczkę. Tak mamusia mówiła".

Włożył gumiaki i wyszedł na przedwiosenne południe. Wciągnął w nozdrza zapach mokrej ziemi i topniejącego śniegu, zapach pąków i zeszłorocznych liści butwiejących na podwórzu. Kopnął nóżkę od roweru i poprowadził go do furtki, osłaniając oczy przed jaskrawym światłem słonecznym.

Powtarzał sobie w myślach: „Chleba i zwyczajnej, kiełbasy zwyczajnej, i coś jeszcze, masło, aha". Nigdy nie miał dobrej pamięci. Jego pamięć miała dziury wielkie jak siatka w ogrodzeniu, czasem wystarczyło, że się zapatrzył na coś, i wszystko znikało, a potem nie wiedział, ile czasu minęło, i musiał patrzeć na niebo, żeby się dowiedzieć, na jak długo świat zniknął mu sprzed oczu. Teraz było gorzej, jakby każde zniknięcie wyrywało większe dziury. Chleb i kiełbasa jeszcze mogły zostać na siatce, ale mniejsze sprawy, takie jak masło czy oporządzanie kurek, już uciekały. Czasami bał się, że w końcu dziury będą tak wielkie, że nic nie zostanie, że sam wpadnie w dziurę swojej pamięci i prześlizgnie się jak nitka makaronu przez oko durszlaka do odpływu, do kanału, gdzieś, gdzie jest czarno i nic już nie ma.

A czasami świat wracał, jakby dziury ktoś zaszył, i okazywało się wtedy, że coś mówił, robił, że pojechał do lasu i tam siedział, patrząc na brązowożółte wody kanału. Pamięć wracała na miejsce, jakby ktoś ją ukradł dla kawału, jak robią te dzieciaki, co kradną sobie nawzajem worki na buty i chowają za kapliczką przy Szerokiej, a potem gonią się ze śmiechem, wywijając juniorkami w granatowych workach. Przejechał obok kapliczki. Długo pedałował, małe kółka dziecinnego roweru obracały się ciężko. Zaraz minie pętlę, skręci w lewo i dojedzie do sklepu, kupi chleba, kiełbasy i piwko, i... Złapał myślą masło, zanim wymknęło mu się przez nową dziurę w głowie. „Aha, mam cię, dzisiaj mi nie uciekniesz", rozpromienił się, w uśmiechu pokazując wszystkie zęby, jakie mu jeszcze zostały. Z tej radości aż zatrzymał rower, oparł o płot, wyciągnął z kieszeni paczkę klubowych i przypalił sobie papierosa. Pokręcił głową ucieszony z chwilowego zwycięstwa nad opornym umysłem. Kątem oka dostrzegł czerwoną plamę. Dzieci wracają ze szkoły!

Ucieszył się jeszcze bardziej. Dzieci, dziewczynki. Małgosia będzie wracała, Małgosia jest duża, dorodna, prawdziwa kobieta, ale Małgosi nie wolno tknąć, bo to rodzina, a rodzina jest święta. Mamusia powiedziała, że gdyby dotknął Małgosi, to smażyłby się w piekle do końca świata; dorzuciła węgla do pieca w kuchni, wzięła jego rękę i dotknęła nią żeliwnych drzwiczek, żeby poczuł, jakie piekło jest gorące, jak pali i piecze. Na dłoni zrobił się pęcherz, który mamusia potem zawinęła czystym bandażem, ale ilekroć pomyślał o Małgosi w zakazany sposób, ręka piekła żywym ogniem. Oparzenie nie chciało uciec z pamięci.

Jednak o innych dziewczynkach można myśleć, jak się chce. Inne to nie rodzina. Idą teraz grupką; koło Małgosi taka druga grubsza, jasnowłosa i nieduża, z drugiej strony taka ładniutka z warkoczem, z tyłu kolejna, też z warkoczem, ale cieńszym, jakby zdjęła te zapocone okulary, toby była całkiem niezła. Ta ładna zawsze krzyczy na niego: „Spadaj, debilu!", albo się wykrzywia. A ta w okularach nigdy nawet miny nie zrobi, nic nie powie, tylko patrzy na niego wielkimi oczami zza szkieł, wysoka jest, ale chuda, pewnie nie waży więcej niż wiązka drew, można by ją wziąć na ramię i zawieźć w pole, w żyto, zabawić się...

– Cześć, dziewczynki! – woła z uśmiechem, kiedy nadchodzą.

Małgosia patrzy na niego jak na powietrze, bąka coś pod nosem. Ta druga obok przyspiesza kroku, szepczą coś; ta ładna wykrzywia się szyderczo i rzuca w przestrzeń:

– Coś słyszałam, chyba debil się odezwał!

A ta chuda, wysoka, w za małej czerwonej kurteczce z darów, ściska tę ładną kurczowo za łokieć, aż jej chude palce robią się całkiem białe, i przyspiesza tak, że prawie biegnie, i nie spuszcza z niego oczu, tak jak nie spuszcza się oczu z dużego psa, który choć zawsze uwiązany, nagle znalazł się za płotem, na ulicy.

Gapi się na dziewczynki, dopóki nie znikną za zakrętem, przy pętli. Cztery kolorowe plamy. Trzyma się myśli o zbożu i polu, o ciele młodym i leciutkim jak kilka gałązek. Uśmiecha się i pogwizduje pod nosem, a potem odkrywa, że znowu uciekły mu gdzieś minuty, a może godziny... że papieros dawno zgasł i wypadł z palców, słońce przesunęło się i płoty rzucają cienie aż na drugą stronę ulicy Szerokiej... że mamusia czeka w domu na chleb i na kiełbasę, i na coś jeszcze, co bezpowrotnie przeleciało przez porwaną siatkę pamięci.

KAROLINA

Umówiłyśmy się w McDonaldzie, na rogu wylotówki i ulicy prowadzącej do pętli autobusowej. W McDonaldzie, którego nie było – na pewno nie – kiedy po raz ostatni wyjeżdżałam z Leśnego. Niska, przysadzista bryła restauracji, o oknach wielkich jak szyby wystawowe, wyglądała kuriozalnie w miejscu, które zapamiętałam jako pusty, porośnięty chwastami spłachetek ziemi przy ruchliwej ulicy. W to listopadowe popołudnie szare niebo zasnuwały ciężkie chmury, przez co wydawało się, że jest już dużo później, niż wskazywał zegar. Okna baru jarzyły się przyjaznym, ciepłym światłem, a sylwetki ludzi za szybą pozwalały wierzyć, że to miłe, przytulne miejsce, gdzie można porozmawiać. Nawet smród frytek i tłuszczu jakoś wyjątkowo nie roznosił się dookoła, choć zwykle wyczuwam go z daleka, zanim jeszcze zobaczę dumne, żółte, łukowate „M" na tle nieba.

Nie lubię fast foodów, nie lubię nowoczesnych kawiarni, gdzie kawa nosi wymyślne włoskie nazwy, a potrawy przyjeżdżają zza oceanu zamrożone w kontenerach. Za długo studiowałam i pracowałam w centrum miasta, w nieregularnych godzinach, kiedy hamburger czy pikantne skrzydełka były jedyną dostępną namiastką obiadu. Te bary kojarzą mi się zawsze właśnie z przerwą w zajęciach, gazetą zdjętą z drewnianego wieszaka, tłustym hamburgerem popijanym wodnistą herbatą i nerwowym zerkaniem na zegarek.

Nie zdziwiło mnie jednak, że Beata i Gosia chciały się umówić właśnie tam – to miejsce stanowiło kiedyś centrum naszego świata. Na tym skrzyżowaniu, na długo zanim wyrosła na nim ta ohydna przysadzista buda, rozchodziły się nasze drogi po szkole i schodziły rano. Naprzeciwko, przy drodze na wschód jedna z naszych nauczycielek ze szkoły prowadziła budkę z lodami. Po lekcjach liczyłyśmy drobne, wybierałyśmy smaki, a potem oblizywałyśmy kapiące z bezsmakowych wafelków lody – zawsze o tym samym mdłym zapaszku mleka skondensowanego, obojętne, czy miały kolor brązowy, czy zielony, czy nazywały się „kakaowe", czy „pistacjowe". Opierałyśmy nasze trzy rowery o ścianę budki: moja czarna stara damka pamiętająca czasy, kiedy ojciec jeździł nią po mleko do pegeeru, brzydko kontrastowała z nowiutkim czerwonym jubilatem Beaty i różowym, niemieckim rowerem Gośki. Zawsze wtedy, liżąc lody, wyobrażałam sobie, że za chwilę z ulicy wypadnie na chodnik rozpędzony samochód i zmiażdży Beatę tak, jak mercedes 120 rozmazał naszego kolegę ze szkoły na asfalcie wylotówki. Sąsiadka opowiadała mojej mamie, że zbierali go do foliowego worka, bo tylko buty zostały. Nazywał się Andrzej, miał jedenaście lat i wiecznie pociągał nosem, za co wyzywaliśmy go od brudasów, ale kiedy zginął, całą klasą ubraliśmy się na czarno i poszliśmy na pogrzeb. W mojej wyobraźni samochód zabijał Beatę, a ja zabierałam z jej szkolnej torby różowy piórnik z napisem „Barbie" i odjeżdżałam jej nowiutkim czerwonym rowerem.

Czasami też aż do bólu chciałam być Beatą, zamienić się z nią na skórę i włosy, na nogi, i na talię, z której była zawsze dumna. A przede wszystkim zamienić się z nią na tę jej niewymuszoną bezczelność, na radosny śmiech i na życie.

Teraz czasem zastanawiam się, czy Beata równie mocno chciała być mną. Czy kiedy lizała lody kakaowe o smaku mleka z tubki, wyobrażała sobie to samo co ja?

Przed barem zatrzymał się samochód. Odruchowo spojrzałam na rejestrację, a kiedy zobaczyłam cyfry 14299, zamknęłam oczy, udając, że ich nie widziałam. 99 – wszystko stracone, wielkie nieszczęście... Patrzę na rejestracje samochodów od dwudziestu lat z okładem, od czasów powrotów ze szkoły do domu. Wróżę z nich i liczę, zawsze liczę. Machinalnie policzyłam. Jeden, cztery, dwa, dziewięć, dziewięć, razem dwadzieścia pięć, podzielić na pięć – piątka. Postanowiłam, w drodze kompromisu z neurotyczną częścią siebie samej, uznać, że rejestracja samochodu składała się z samych piątek. Dziewiątek nie było, nie widziałam ich. Musiało mi się wydawać. Ten prosty zabieg pozwolił mi odsunąć przeczucie nadchodzącej zagłady i wejść po schodkach do szklanych drzwi.

Po prawie dwudziestu latach, przekraczając próg baru szybkiej obsługi, zrozumiałam, dlaczego kiedyś tak bardzo chciałam być taka jak ona. Beaty nie sposób było przegapić, dzisiaj tak jak dawniej odróżniała się od tłumu rozgadanej młodzieży spędzającej popołudnie nad stygnącą herbatą i frytkami. Siedziała sama przy stoliku w rogu – szczupła, klasyczna blondynka o twarzy, która z upływem czasu nabrała szlachetności i wyrazistości pomimo drobnych zmarszczek w kącikach ogromnych, porcelanowoniebieskich oczu. Beata wyglądała teraz dokładnie tak jak dwadzieścia lat temu jej matka, nauczycielka ze szkoły muzycznej, którą zapamiętałam ubraną zawsze w nieskazitelnie odprasowaną białą bluzkę i długą plisowaną spódnicę. Z wizyt u nich w domu pamiętałam, że siedziała w ogromnym salonie, pośród ciężkich, ciemnych, dębowych mebli, pochylona nad klawiaturą pianina. Kiedy widzę Beatę, zawsze w myślach słyszę muzykę poważną: mazurki, preludia i sonaty. Zawsze wydawało mi się, że jej dom przesiąkł muzyką tak jak inne mieszkania dymem papierosowym czy zapachem perfum właściciela.

– Cześć, jesteś nareszcie – Beata wstała i podała mi rękę o wypielęgnowanych paznokciach, chłodną i suchą.

– Jestem. Wiesz, korki... – próbowałam się usprawiedliwić i jednocześnie odwrócić jej uwagę od moich krótko przyciętych paznokci, naderwanych skórek i spierzchniętej skóry na dłoniach.

Zawsze czuję się przy niej brzydka i zaniedbana, choćbym na minutę przed spotkaniem wyszła od kosmetyczki. Wyglądało jednak na to, że nie zwróciła uwagi na mój wygląd, bo jej spojrzenie szybko powędrowało do kubka z kawą i lśniącej, luksusowej gazety dla bogatych starszych pań rozłożonej na stoliku i otwartej na stronach poświęconych modzie na zimę. Beata przypominała modelki ze zdjęć na błyszczącym papierze, nie było w niej natomiast cienia podobieństwa do bohaterek mojej gazety, o których pisałam lepiej i gorzej – zwykłych kobiet przed metamorfozą i po niej, dziewczyn z sąsiedztwa przyłapanych na płaczu, gdy opowiadały o zdradach, alkoholizmie, chorobach. Miała na sobie idealnie skrojoną szarą marynarkę, pod nią czarny golf, na szyi coś srebrnego, tak ostentacyjnie skromnego, że musiało pochodzić od najlepszego projektanta. Naturalnie falujące ciemnoblond włosy upięła z tyłu w ciasny kok, a kilka kosmyków opadających na czoło miało dawać wrażenie prostoty. Kontrastowała z hałaśliwym barem oświetlonym jarzeniówkami, była tu wyraźnie nie na miejscu, ale zachowywała się swobodnie.

– Trudno dotrzeć z miasta na to nasze zadupie, prawda? – spytała.

– Ode mnie to daleko – odparłam. – Moją dzielnicę też trudno nazwać miastem.

– Miałabyś bliżej, gdybyś zrobiła prawo jazdy.

– Wiesz, że... – zaczęłam, ale w tym momencie drzwi restauracji otworzyły się i pojawiła się w nich Gośka.

–

11

Gośka pozwala uwierzyć, że czas się zatrzymał. Kiedy podbiegła do naszego stolika, tupiąc czerwonymi martensami – prawdopodobnie tymi samymi, które nosiła w liceum – pomyślałam, że brakuje jej jeszcze tylko tego różowego roweru jak dla Barbie, żeby wyglądała dokładnie tak samo jak wtedy, gdy jadłyśmy lody, opierając się o nasze rowery, wiercąc dziury w piachu czubkami butów i spierając się o chłopaków, muzykę, nauczycieli. Gośka wyszła za mąż za Tomka z ósmej C, urodziła mu jedno po drugim troje dzieci, nigdy w życiu nie zmieniła adresu i nadal co niedziela pojawiała się w kościele punktualnie o jedenastej na mszy dla dzieci. Nadal też miała cudowną właściwość rozładowywania napięć i kłótni jednym zdaniem.

– Rany boskie, Beata, aleś się wylaszczyła, jak nie do McDonalda! – roześmiała się na wejście. – W takim stroju to powinnaś zabrać Marka do francuskiej knajpy na bożole czy jak to się tam mówi! A my tu proste wieśniaczki w dżinsach, dobrze, że i Karolina tak nieoficjalnie, bo jeszcze bym poleciała do domu się przebrać!

– Weź, nie błaznuj, w restauracji jesteś w końcu – roześmiała się Beata, ale jakby z przymusem, w jej niebieskich oczach nie było radości. – Zamówcie sobie po kawie czy po makciastku i pogadajmy, muszę wam coś powiedzieć.

Ustawiłyśmy się w kolejce do lady, w kolejce pryszczatych licealistów, dla których herbata i makciastko przy stolikach z laminatu były tym, czym dla nas nasze dawne posiadówki w sypialniach, na brzegu łóżka i na podłodze, nad rozłożonym numerem „Bravo", który cięłyśmy na trzy kawałki zgodnie z naszymi upodobaniami: zdjęcia zespołu A-ha przypadały Beacie, Jon Bon Jovi szedł do szuflady Gośki, dla mnie zostawały skąpe wycinki z Metallicą i Guns N' Roses. Gośka nachyliła się do mnie i szepnęła:

– To chyba nie będzie zwyczajne spotkanie starych kumpelek po latach.

– Fakt – przytaknęłam. – Zdaje się, że czegoś się dowiemy.

Beata jest strasznie oficjalna.

– Jak już skończy, to wpadnij do mnie – poprosiła Gośka. – Co prawda w domu syf, średni ma zapalenie oskrzeli, a najmłodsza sraczkę, ale poza tym mam ciacho z bananami, prawdziwe, nie jakieś tam kupne. I Tomek się stęsknił za tobą, zawsze się lubiliście. Pogadamy.

– Dobra, chętnie – zgodziłam się.

Dom Gośki był takim miejscem, jakie sama bezskutecznie usiłowałam stworzyć – dziecięce głosy, zapach ciasta, kolorowe rysunki przyklejone na lodówce, w oknach witrażyki z motylami i wróżkami, własnoręcznie malowane. Kiedy się tam wchodziło, czuło się powiew pozytywnej energii i ciepła. Chciałam coś jeszcze odpowiedzieć, ale przerwała nam dziewczyna zza lady, zmęczona blondynka niewiele starsza od zaludniających bar dzieciaków.

Gdy już usiadłyśmy we trzy przy stoliku nad styropianowymi kubkami z lurowatą kawą, Beata złożyła czasopismo, jak zwykle starannie, i schowała do czarnej aktówki stojącej na wolnym krześle. Zawsze było dla mnie zagadką, po co niepracującej kobiecie torba jak dla adwokata, ale nigdy o tym nie wspominałam, bo wzięłaby to za zwykłą zazdrość. W naszej trójce mówienie takich uwag zarezerwowane było dla Gośki i tym razem się bez nich nie obeszło:

– Ale teczka, podprowadziłaś mężowi?

– Możesz przestać? – Beata była wyraźnie poirytowana.

– No, weź się uspokój, już pożartować nie można?

– Nie można. Nie dzisiaj. Nie ze mną – oznajmiła Beata.

– Co się stało? – zapytałam.

– Napisała do mnie siostra Anety, że wie wszystko i że tak tego nie zostawi. Mam się bać. Napisała mi: „Módl się, żeby twoje dzieci miały lepszy los niż moja siostra, żeby nie trafiły na taką podłą dziwkę jak ty". Tak napisała. Nie muszę dodawać, że „módl się" przez u zwykłe, nigdy nie była

rozgarnięta. – Beata spróbowała się roześmiać, ale skończyło się na grymasie ust zatrważająco podobnym do grymasu płaczu.
– Skąd niby może cokolwiek wiedzieć? – zastanawiałam się na głos. – Chryste, to było prawie dwadzieścia lat temu!
– Umarła ich matka i remontowali dom przed sprzedażą – wyjaśniła głucho Beata. – W schowku na pawlaczu znaleźli pamiętnik Anety. Kończy się na dzień przed...

Nie dokończyła. Nie musiała kończyć. Nasze spojrzenia mimowolnie powędrowały w kierunku krzesła, na którym czarna aktówka nieudolnie udawała czwartą osobę. Na tym krześle powinna siedzieć czwarta kobieta. Dziwne, że idąc na to spotkanie, nie pamiętałam o czwartym rowerze opartym o ścianę budki z lodami pani Karasiewicz. Stare, poobijane wigry 3, składak za mały dla czternastoletniej, wysokiej dziewczyny w grubych okularach, która zawsze zamawiała lody truskawkowe, bo uważała, że są zdrowsze od innych, ponieważ zawierają owoce. Pamiętam ten stary, czerwony rower, porzucony pod szkolnym płotem. Na bagażniku torba foliowa z książkami do biblioteki, na kierownicy okręcone żółte węgierskie sznurowadło z bazaru, drugie takie samo na związanych w koński ogon włosach Anety, która krzyczała. Tak strasznie krzyczała.

Wiele się zmieniło, od kiedy byłam w domu Gośki ostatni raz, ale trafiłabym tam nawet z zawiązanymi oczami. Pomimo że ulicę – niegdyś błotnistą, z dziurami wyrównanymi grubym żwirem – pokrywał idealnie równy asfalt, a pobocze porośnięte chwastami zniknęło pod warstwą kostki bauma, dom za żółtym płotem był taki sam jak kilkanaście lat temu: piętrowy klocek z sutereną, wejście przez taras, do którego prowadzi kilkanaście betonowych stopni. Dopiero po narodzinach pierwszego dziecka Gośki na tarasie pojawiła się balustrada, wcześniej zapraszał do akrobacji i wariackich skoków z wysokości przewyższającej nasz wzrost, a zimą zamieniał się w pokrytą zdradliwym lodem śmiertelnie niebezpieczną pułapkę. Przy schodach okno sutereny, a za nim zawsze ta sama przygarbiona sylwetka – matka Gosi pochylona nad maszyną do szycia, przerabiająca skrawki szmatek na ubranka dla lalek sprzedawanych w Peweksie, z roku na rok coraz potężniejsza, aż wreszcie zaczęło nam się wydawać, że nie ma takiej możliwości, żeby kiedykolwiek wydostała się ze swojego kąta pomiędzy ścianą sutereny a stołem kuchennym z rozstawioną na nim maszyną marki Łucznik.

Tym razem okno sutereny było ciemne. Wspięłyśmy się po betonowych stopniach, Gośka otworzyła drzwi i weszłyśmy do przedsionka, w którym większą część ściany zajmuje olbrzymi wieszak zawalony kurtkami, płaszczami, czapkami. Pod wieszakiem, na zielonych terakotowych kaflach buty – obfitość butów dziecięcych i dorosłych, rozczłapane adidasy i lśniące skórzane kozaki, Gośka zamaszystym ruchem kopnęła to wszystko w kąt, robiąc miejsce dla swoich czerwonych glanów i moich kozaków. W mieszkaniu unosił się zapach pamiętany sprzed lat, zapach setek talerzy zupy pomidorowej, coniedzielnego ciasta i pasty do podłogi.

Tupot dziecięcych nóg.

– Mama! Już jesteś! – drzwi do przedsionka otworzyły się, trzy postaci zamarły na chwilę, zawstydzone.

– Dzień dobry, ciociu – wykrzyknął najstarszy na mój widok.

Mateusz, mój chrześniak, urodził się kilka miesięcy po maturze. Ciąża Gośki była drugim najpilniej strzeżonym sekretem naszej trójki.

– Chodź, napijesz się kawy, mam ciasto – zapraszała Gośka.

Dzieciaki zniknęły na piętrze, zanim zdążyłam zadać im te wszystkie nudne zwyczajowe pytania: jak tam w szkole, jaki przedmiot lubisz najbardziej, czy stara Wasylowa uczy jeszcze chemii?

Kuchnia zmieniła się najbardziej, i to już dawno. To była pierwsza zmiana, której dokonała Gośka, w ten sposób oznaczyła dom jako swoje miejsce. Laminat na podłodze zastąpiono płytkami. Zniknęły szafki z płyty wiórowej, sosnowy stół z szufladą, pod blatem którego kiedyś, niby to niepostrzeżenie, przyklejałyśmy nasze przeżute gumy Donald – wszystko to zastąpiło solidne drewno w stylu swarzędzkim, ciężkie, ciemne. Nad zlewem i kuchenką obowiązkowe małe kwadratowe płytki przedzielone gdzieniegdzie dekorem z motywem owoców. Kuchnia rustykalna, jak z wystawy w baumarkecie i reklam zupy z proszku, idealna na podawanie gościom świeżego domowego ciasta i kawy w szklance. Moja koleżanka wstawiła czajnik na gaz, a w rozsuwanych drzwiach kuchni stanął mężczyzna o zwalistej sylwetce, coraz potężniejszej z wiekiem. Gdybym nie znała go kiedyś jako szczupłego długowłosego chłopaka w trampkach, myślałabym, że zawsze był typem rumianego, wąsatego mechanika. Zresztą Tomek jest mechanikiem, szklarnie przed domem zlikwidowano, a zamiast nich wyrósł warsztat samochodowy, wąsy zaś ma prawem lokalnej tradycji. Wszyscy tutaj prędzej czy później zapuszczają wąsy, nawet jeśli w ósmej klasie jeszcze nie musieli się golić częściej niż raz w tygodniu.

– Cześć, Karolina, kopę lat! Co tak rzadko do nas zaglądasz? – Tomek objął mnie na swój niezgrabny, niedźwiedzi sposób i cmoknął w powietrzu gdzieś w okolicy mojego ucha. Po czym otworzył lodówkę ukrytą za rzeźbioną drewnianą zabudową i sięgnął na górną półkę po puszkę piwa.

Czajnik zagwizdał, Gośka nalała wrzątku do filiżanek z kawą rozpuszczalną, postawiła na stole talerzyki z nietłukącego kompletu malowane w kolorowe kwiaty i półmisek z grubo krojonym ciastem. A ja cofnęłam się w przeszłość i zobaczyłam jej matkę nakładającą nam kolejną porcję domowego sernika, przemieszczającą się z zadziwiającą jak na swoją tuszę zręcznością pomiędzy kuchennymi meblami. Gośka siadła obok Tomka, naprzeciwko mnie, on prawie bezwiednie ujął jej rękę. Kiedyś próbowałam nimi pogardzać: kura domowa i mechanik samochodowy, a mieli być panią psycholog i wokalistą metalowej kapeli... Ale to oni po kilkunastu latach nadal dotykają się, siedząc przy stole, nie my – nie pani dziennikarka i pan polityk. My rzadko kiedy siadamy razem przy naszej kuchennej wyspie modnie oddzielającej aneks kuchenny zbudowany z chromowanej stali i lśniących bielą szafek od pokoju dziennego. Nasze dziecko na nasz widok burczy „cześć", znika w swoim pokoju i siada przed własnym telewizorem, a ciasta kupujemy w szwajcarskiej cukierni Batida albo w The Cheesecake Shop w galerii handlowej.

Czyżbym zazdrościła Gośce?

– ... jak myślisz? – Gośka patrzyła na mnie pytająco.

Zdałam sobie sprawę, że zamyśliłam się i umknęła mi jakaś część tego, co mówiła, może zdanie, a może piętnastominutowy monolog, nie dowiem się już nigdy. Patrzyłam na nią nieprzytomnie, na szczęście uratował mnie Tomek.

– Nie przesadzajmy – powiedział – nie oskarżą was o gwałt po... ilu? Piętnastu latach?

– Dziewiętnastu – poprawiłam machinalnie.

– Tym bardziej – Tomek pokiwał głową. Jego dłonie tańczyły w powietrzu, niosąc widelczyk z ciastem do ust. – Poza tym to nawet nie był gwałt, nawet nie usiłowanie, a zresztą, przecież nie was mieliby sądzić, tylko tego palanta... jak mu tam, Gosiu? Jak on się nazywał?

– Krystian – odpowiedziała Gośka. – Krystian Lach.

Nazwisko, na dźwięk którego zawsze już będę się odwracać – tak jak lata temu, kiedy zobaczyłam go po raz pierwszy na podwórku nowo zbudowanego domu: stał pod ścianą, w przydługich dżinsach opadających na buty i z grzywą włosów zasłaniającą oczy.

– Karolina, a może ty wiesz, co u Krystiana? – oboje popatrzyli na mnie pytająco.

Czułam się dziwnie nie na miejscu, bo to ja zawsze zadaję to pytanie na szkolnych zlotach i niemrawych imprezach, na których wszyscy udają, że znakomicie się bawią, wspominając wycieczki do Karpacza i głupie kawały robione wychowawcy. Na imprezach, na których okazuje się, że gruby, wiecznie spocony kujon z pierwszej ławki jest wziętym prawnikiem, a subtelna intelektualistka prowadzi sklep z tanimi ciuchami na Targowej. Jestem na każdej z tych imprez, odpowiadam na wszystkie pytania, rozmawiam z właścicielkami szmateksów i radcami prawnymi, piję za dużo i roztkliwiam się nad zdjęciami dzieci ludzi, których nazwiska zapomniałam dziesięć lat temu, i robię to wyłącznie po to, żeby na koniec, niby przypadkiem, zadać pytanie: „Czy wiesz może, co u Krystiana?". „Nie wiem, nie widziałem go, nie słyszałam o nim", padają nieuniknione odpowiedzi. Niektórzy dopiero zaczynają sobie przypominać, o kogo pytam: „A zaraz, zaraz, ten wysoki, ten, co się uganiał za Beatą? Ten w okularach?". A ja nie mogę zrozumieć, jak to możliwe zapomnieć akurat tę postać. Tak czy inaczej, nikt nie wie. Google milczy, wyrzuca milion odpowiedzi na pytanie o jego nazwisko, większość dotyczy dawno zmarłych mężczyzn w amerykańskich bazach danych genealogicznych, reszta jakiegoś niemieckiego motocyklisty o podobnym nazwisku. Krystian zniknął z Internetu, z pamięci znajomych, z powierzchni ziemi i wydaje się czasem, że nikogo poza mną to nie obeszło. Cóż, teraz obchodzi to przynajmniej trzy osoby... Cztery, jeśli Gośkę i Tomka liczyć jako dwoje, choć w zasadzie można ich uznać za jedno.

– Karolina, jesteś przecież dziennikarką, może coś znajdziesz? – spytała Gośka z nadzieją, wlepiając we mnie te swoje ciemne oczy, tak jak lata temu, kiedy domagała się pracy domowej z matematyki albo pożyczenia pachnącej gumki do ścierania.

– Nie jestem taką dziennikarką – rozłożyłam bezradnie ręce. – Mogę ci napisać siedem tysięcy znaków o tym,

18

dlaczego na wiosnę masz nosić szary sweter i mini, mogę zrobić wywiad z blond kretynką z serialu, która nie potrafi dwóch zdań sklecić, mogę zrobić reportaż o matce, której syn umiera na coś strasznego przez niedbalstwo lekarzy. To robię. Nie śledzę ludzi, nie mam bazy danych zaginionych kolegów z klasy. Ja nawet nie bywam w tej mojej cholernej redakcji, chyba że przywożę im rachunek za teksty!

Gośka pokiwała ze smutkiem głową.

– No to w zasadzie dobrze – odezwał się niespodziewanie dla nas wszystkich Tomek. – Jak on zniknął, to kłopotu nie ma. Was nie oskarżą, bo o co. Siostra tej laski może wam mieć za złe, ale komu by się chciało rozgrzebywać to po latach.

Obie uczepiłyśmy się tej myśli, potaknęłyśmy i udawałyśmy przekonane, choć w głębi duszy żadna z nas nie była, mało tego – obie czułyśmy się równie, jeśli nie bardziej, winne niż ktokolwiek inny. Zmieniliśmy temat, rozmawialiśmy o dzieciach, na koniec odbyliśmy rytualny taniec pożegalny, ja zadzwoniłam po taksówkę, Tomek upierał się, że mnie odwiezie, ja protestowałam, oni protestowali, wreszcie odjechałam taksówką na mój drugi koniec miasta, zostawiając za sobą dom Gośki, który niezmiennie trwa w pobliżu pętli autobusowej. W taksówce nie patrzyłam za siebie.

– Mogę go znaleźć, jeśli bardzo chcesz – powiedział mój mąż późnym wieczorem, kiedy wrócił z zebrania kolejnej komisji czy komitetu do spraw czegoś tam, co ma usprawnić życie naszej dzielnicy i uczynić ją bliższą ideałowi wymyślonemu przez jego partię, partię rządzącą, co Piotr lubi podkreślać, odkąd wygrali wybory. Kiedyś dokuczałam mu, że rządząca czy nierządząca, on zajmuje się problematyką psich kup i ogródków jordanowskich, teraz mi się już nie chce. Gdy wszedł do domu, zsunęłam okulary na czubek nosa i oderwałam się od pisania pasjonującego tekstu na temat „Tusz do rzęs – jaki wybrać". Piotr zajrzał mi przez ramię.

– „Jeżeli pragniesz, by twoje spojrzenie nabrało blasku, wybierz tusz delikatnie przedłużający rzęsy, radzi wizażystka Wioletta Głowa z firmy..." – przeczytał i parsknął śmiechem. – Nie wierzę, od tego też macie dyżurne ekspertki?

– O ile pamiętam, wy macie komisję od psich odchodów? – odgryzłam się, choć wiedziałam, że zaraz tego pożałuję. Spodziewałam się wykładu przewodniczącego Rady Osiedla o wadze kwestii psich kup i konieczności uregulowania problemu stosownym zarządzeniem. Widziałam już oczami duszy minę dzielnicowego radcy prawnego, który zostanie oddelegowany do spisania uchwały i wywieszenia jej gdzieś tam, gdzie oni to wywieszają, do głosowania czy do akceptacji. Jakby to mogło obchodzić mnie, najemniczkę od pisania o tuszach do rzęs i pudrach na wiosnę 2008, szumnie zwaną dziennikarką. Zmieniłam więc temat, zanim Piotr zaczął swoje wywody. Zapytałam go o możliwość odnalezienia zaginionej osoby i widziałam, jak mój mąż rośnie z dumy: oto we własnym domu został potraktowany jak ekspert, zawodowiec, Ktoś Kto Wiele Może. Prawdopodobnie pierwszy raz od czasu, kiedy dwa lata temu naprawił pralkę.

– Mogę go znaleźć – powiedział z pewnym wahaniem – mogę spróbować. – Po czym nagle jego twarz zmieniła się, oczy rozszerzyło niedowierzanie. – To nie jest jakiś twój były czy coś? – spytał ostrożnie, jakby zdawał sobie sprawę z własnej śmieszności, ale wiedział, że musi zapytać.

Uspokoiłam go, że nie; absolutnie – wygodna półprawda, ale kto z małżonków wypomina sobie przygody sprzed czasów studenckich, licealne miłości. Tamte czasy uznaje się za dawno zamknięte, szczeniackie i niemożliwe do pamiętania po trzydziestce.

– Zapisz mi nazwisko. Popytam, może znajdę jakieś dojścia – powiedział, po czym zdjął marynarkę i usiadł przy kuchennej wyspie nad filiżanką herbaty jaśminowej i stertą dokumentów. Okulary na nosie, długopis w ręku, szeroko plecy w błękitnej koszuli przygarbione nad blatem, nieco za długie ciemne włosy.

Wróciłam do swojego laptopa i pisałam dalej – tusze pogrubiające, podkręcające, 2 w 1, kolorowe, z odżywką, z brokatem. Wizażystka Wioletta na temat każdego z nich ma coś do powiedzenia. Spisywałam jej słowa z ręcznych notatek, szlifowałam zdania, wiedząc, że redakcja bezlitośnie powycina mi przymiotniki i przydługie porównania, żeby zmieścić reklamy, fotki, ceny i zdjęcie pospolitej, wymalowanej Wioletty z paletą barw w wymanikiurowanej dłoni.

Dzwonek telefonu obudził tylko Weronikę, mnie wyrwało ze snu dopiero wejście mojej córki do pokoju i jej rzucone obrażonym tonem:

– Mamo, ktoś do ciebie!

Poderwałam się z kanapy, jak zawsze zastanawiając się, jak to możliwe, że zasnęłam i przespałam tak całą noc. Miałam przecież tylko położyć się na chwilę, oglądając film, a potem skończyć tekst o tuszach. Otwarty laptop na ławie i sterta porozrzucanych obok niego notatek patrzyły na mnie oskarżycielsko. Jak każdego ranka zaczęłam dzień od nerwowego macania dookoła w poszukiwaniu okularów, ale zanim uświadomiłam sobie, że coś nie gra, Weronika uniosła brwi w takim samym grymasie jak jej dziadek, choć nigdy go przecież nie poznała.

– Masz je na nosie – burknęła i wręczyła mi telefon.

– Kto to? – zapytałam ją, ale w odpowiedzi tylko wzruszyła ramionami i wyszła z pokoju, szurając bosymi stopami po panelach. Wysoka jak na swój wiek, przygarbiona, od paru lat niezmiennie zła. Moja prawie trzynastoletnia córka, tak wrażliwa i tak opancerzona...

Patrząc na nią, zastanawiałam się, czy taką mnie widzieli moi rodzice wtedy, w czasach czarnego roweru i budki z lodami, czy też byłam tak obcym, niedostępnym stworzeniem...

i czy zdawałam sobie sprawę z tej nienawiści do świata, która malowała się w moich oczach, tak jak maluje się codziennie w spojrzeniu Weroniki. Prawdopodobnie tak. Na pewno od chwili, kiedy matka w kłótni nazwała mnie zimną żmiją, a ja odpaliłam, że wolę być zimna niż taka jak ona. Wtedy też obchodziłyśmy się ostrożnie, dwie rywalki w za małym mieszkaniu, gotowe skoczyć sobie do oczu o byle drobiazg.

– Halo – powiedziałam niepewnie do telefonu.

Ilekroć budzi mnie telefon, zwykle z redakcji albo od klienta, zawsze staram się sprawiać wrażenie rześkiej i w pełni rozbudzonej. Podejrzewam, że efekt jest taki sam jak wtedy, gdy pijany usiłuje mówić bardzo wyraźnie. W słuchawce usłyszałam jednak zamiast naczelnej czy redaktorki zupełnie obcy, kobiecy głos.

– Pani Karolina... Kowalczyk? – spytała moja rozmówczyni zamiast powitania. Potwierdziłam. – Pani mnie pewnie nie pamięta. I ja miałam kłopot, żeby sobie panią przypomnieć, w końcu kiedy to się stało, byłam dzieckiem. Dostałam pani numer od Beaty. Mam coś dla pani, co panią zainteresuje. Pani podobno pisze do gazety? – zawiesiła głos, więc wtrąciłam:

– Tak, do „Życia Kobiet".

– No – zgodziła się w charakterystyczny, uparty, trochę wiejski sposób. – Czytałam w ostatnim numerze pani historię, jak to jeden umarł, bo pogotowie nie dojechało, i jak matka teraz rozpacza. To ja mam historię dla pani. Historię o mojej siostrze, którą żeście zamordowały we trzy z tym takim jednym, hipisem, tym z Warszawy.

– Zamordowały? – chciałam krzyknąć, ale głos odmówił mi posłuszeństwa, za dużo papierosów wczoraj wieczorem. Zamiast tego wyskrzeczałam to słowo. Jednak zrozumiała.

– No. Zamordowały.

– Aneta popełniła samobójstwo... – próbowałam wyjaśniać.

– Nazywaj to, pani, jak chcesz, jedno wiem, żeby nie wy
trzy i ten tam, żyłaby dzisiaj. Dzieci by miała. Bawiłyby się
z moimi, mówiłyby mi ciociu. Masz napisać, jak było, od
początku do końca – kontynuowała, teraz już wyraźnie pociągając nosem. – A jak nie napiszesz... – zawiesiła głos na
dłuższą chwilę, usłyszałam stłumione chrząknięcie i trzask
odkładanej słuchawki.

„Od początku do końca", powiedziała. Pamiętałam ją, choć
nadal jak przez mgłę – chuda, szczerbata smarkula z kucy-
kami, brzydszy cień nieładnej Anety, odganiany do zabaw
z moim młodszym bratem i bratem Gośki. Początek. A kiedy właściwie był początek? Czy wtedy, kiedy na lodowisku
pierwszy raz rozmawiałam z jej siostrą, czy wcześniej, kiedy
sprowadziliśmy się z rodzicami na osiedle Leśne przy wylotówce na wschód z jednej strony i lesie z drugiej, do domu nad
śmierdzącym kanałkiem porośniętym rachitycznymi krzakami?

1983: NIE MA WODY NA PUSTYNI

– Przestańcie, dzieci, spokój! – młoda nauczycielka muzyki usiłowała zachować powagę. – Jestem waszą nową wychowawczynią i będę was uczyła muzyki. Lubicie śpiewać?
– Tak! – wrzasnęła chórem klasa czwarta B.
– No to świetnie. Ciekawa jestem, kto z was nauczył się w wakacje jakiejś nowej piosenki?
– Ja! I ja! Ja, ja, proszę pani!
– No dobrze, to może ty, dziewczynko. Jak się nazywasz?
– Karolina – odparła pulchna blondyneczka siedząca w pierwszej ławce. Za długa grzywka zakrywała jej zielone oczy, więc dziewczynka wydęła pucołowate policzki i dmuchnęła w górę, odsłaniając wysokie czoło z mocnymi, zrośniętymi brwiami. – Karolina Borkowska – poprawiła się. – I jestem nowa.
– A jakiej piosenki nauczyłaś się, Karolinko?
– Byłam z ciocią nad morzem i moja siostra cioteczna nauczyła mnie fajnej piosenki – oznajmiła dziewczynka. – To ja może zaśpiewam.
Odwróciła się twarzą do klasy, wyćwiczonym gestem splotła ręce na brzuchu opiętym poliestrowym granatowym fartuszkiem i zaczęła:

– Nie ma, nie ma wody na pustyni, a wielbłądy nie chcą dalej iść...

– Wystarczy, wystarczy! – pani w popłochu zamachała rękami, kiedy już cała klasa, przekrzykując się nawzajem, śpiewała o tym, że kapelmistrz „spił się jak świnia". – Pięknie, Karolinko, chociaż to chyba nie jest piosenka dla dzieci.

Nauczycielka rozejrzała się nerwowo po klasie, aż jej wzrok padł na jedyną osobę, która nie uczestniczyła w ogólnym zamieszaniu. Wskazała ją palcem:

– Może ty, eee...? – zawahała się.

– Beata Woźniak – przedstawiła się dziewczynka, która siedziała sama tuż przed stolikiem nauczycielki. – Czy mogę akompaniować sobie na pianinie? – zapytała, wskazując instrument stojący przed tablicą.

Kiedy nauczycielka skinęła przyzwalająco głową, dziewczynka podeszła do pianina i usiadła na krześle przed nim, wyprostowana jak struna, z jasnym warkoczem spływającym na plecy idealnie wzdłuż kręgosłupa. Rozprostowała dłonie i potarła je energicznie kilka razy, zanim dotknęła klawiszy, po czym zaśpiewała jasnym, czystym głosem *Stokrotkę*, akompaniując sobie na nieco rozstrojonym instrumencie.

– Pięknie – wyszeptał ktoś z tyłu klasy. – Ja też chcę tak umieć!

Niska, gruba dziewczynka nachyliła się do Karoliny:

– Nie martw się, ty też fajnie śpiewasz! Ta druga nowa to jakaś lizuska!

Po lekcjach wracały razem, we trzy. Beata, wyprostowana, stawiała kroki z gracją baletnicy, omijając błoto i połamane płytki chodnikowe. Karolina obok, z przydługą grzywką prawie zasłaniającą oczy, na przemian zazdrośnie lustrowała smukłe nogi nowej koleżanki i rozglądała się po nowym otoczeniu. Sprowadziła się z rodzicami do tej dzielnicy zaledwie miesiąc temu, z bloków z wielkiej płyty w porządnym i schludnym Berlinie Wschodnim; z krainy metra, lodów w dziesięciu smakach i pełnych sklepów, do tego dziwnego miejsca, które rodzice nazywali „starym domem", choć nie był wcale stary. Do miejsca, gdzie błotniste uliczki wiły się leniwie pomiędzy domkami z cegły, drewna i nowymi osiedlami szeregowych klocków, które wyglądały, jakby ktoś pociął blok z wielkiej płyty na cienkie plasterki, ustawił je obok siebie, i dodał dywanik zielonej trawy od frontu. Z przodu podskakiwała jak piłeczka niziutka Małgosia, paplając bez przerwy i nie przejmując się zupełnie, że nowe znajome najwyraźniej jej nie słuchają. W pewnej chwili przy ogrodzeniu z krzywej, pordzewiałej siatki Małgosia zatrzymała się i podskoczyła, jak najwyżej umiała, do zwisających gałęzi potężnego drzewa. Po chwili wpakowała rączkę do buzi i zadowolona oblizała palce, lepkie od soku.

– Spróbujcie, to morwa. Pycha!

Karolina niepewnie podskoczyła i zerwała drobny, czarny owoc, przypominający nieco malinę, ale zdecydowanie bardziej miękki, wręcz rozpadający się przy dotknięciu. Kiedy włożyła go do buzi, po palcach ściekły jej krople kleistego soku. Owoc był słodkawy, w zasadzie bez wyraźnego smaku, ale ciepły od jesiennego słońca i lepki, zaskakujący i nowy.

– Dziwne... słodkie... dobre – zawyrokowała Karolina i wspięła się na palce, by sięgnąć po więcej. Tymczasem Beata stała w pewnej odległości, z pogardliwym grymasem twarzy.

– To kradzież – oznajmiła. – Kradniecie komuś owoce. Gdyby mój dziadek to zobaczył, miałabym karę. Poza tym za chwilę będziecie całe brudne.

– To co? – roześmiała się Gosia z pełną buzią owoców. – Moja mamusia mówi, że są dzieci czyste i dzieci szczęśliwe. A w ogóle to drzewo Zenka, a Zenek jest nienormalny i nawet nie zauważy.

– Kto to jest Zenek? – spytała z ciekawością Karolina, patrząc przez siatkę, gdzie w pewnej odległości, zza rozrośniętych krzaków bzu i dzikich jabłonek, widać było niewielki ceglany domek z jednym wybitym oknem zasłoniętym tekturą. Pomiędzy krzewami i chwastami, na środku podwórza, leżał niedbale rzucony stary rower, obok wiadro i stos cegieł. Gdzieś za domem ujadał pies.

– Taki jeden, debil. Kiedyś ci opowiem – powiedziała Gosia – a teraz lepiej już chodźmy, bo jak będziemy tu za długo stać, to jeszcze wylezie. – Pociągnęła Karolinę za rękaw, a drugą ręką wcisnęła Beacie w dłoń czarny owoc morwy. – Masz, teraz nie jest kradziony, powiesz dziadkowi, że dostałaś ode mnie.

Szły dalej, połączone wspólnotą słodko-cierpkiego smaku morwy. Przed pętlą autobusową, w połowie drogi, Beata zatrzymała się.

– Mieszkam tam – wskazała ręką na lewo. – Dziadek się wścieka, jak się spóźniam – dodała sztywno. – Cześć, do jutra – rzuciła, odchodząc, i nie obejrzała się już za siebie, szczupła, wyprostowana, z wysoko uniesioną głową. Stawiała stopy w białych czeszkach tak równo, jak gdyby szła po niewidzialnej linie.

– Dziwna jakaś – Gosia kopnęła leżący na chodniku kamień. – A ty gdzie mieszkasz?

– Jeszcze kawałek prosto, na Leśnym.

– Starym czy Nowym Leśnym?

– Bo ja wiem... chyba Nowym. W tych szarych domkach za kanałkiem.

– To na Nowym Leśnym – wyjaśniła Gosia. – Niedawno się sprowadziłaś?

– Tak, mieszkałam z rodzicami w NRD – Karolina wydawała się zakłopotana i szybko zmieniła temat: – A ty?

– Ja się tu urodziłam i zawsze mieszkałam. Moja mama też się tu urodziła, jak było tylko Stare Leśne, a tam gdzie

Nowe było tylko pole. Dziadek też miał tu pole, ale mu zabrali pod pegeer, to sobie zbudował szklarnię, teraz mamy trzy szklarnie, a w garażu tatuś hoduje pieczarki – trajkotała dziewczynka, tak że nawet nie zauważyły, kiedy doszły do sporej posesji, na której obok piętrowego, klockowatego domu z białych pustaków stały, zajmując większość miejsca, trzy długie szklarnie o zaparowanych szybach. Do furtki rzucił się pędem nieduży, żółty pies podobny do jamnika i teriera jednocześnie, o komicznym wyrazie pyszczka i oklapniętym uchu.

– Jestem, Miki, jestem! – Gosia otworzyła furtkę i przytuliła pieska, który skoczył i oparł się o jej brzuch przednimi łapami. – No to cześć – odwróciła się do Karoliny, żeby jej pomachać. – A może kiedyś do mnie przyjdziesz, pobawimy się z Mikim i pokażę ci moje pocztówki. Zbierasz pocztówki?

Beata zawahała się ułamek sekundy, zanim nacisnęła klamkę na kutej żeliwnej furtce. Zazwyczaj lubiła wchodzić do domu dziadków, do chłodu i ciemności, które dawały zaciągnięte w letnie dni zasłony, do ciepła bijącego od trzaskającego na kominku ognia w zimie. Jednak od kiedy ten dom, biały z wielospadowym czerwonym dachem, przestał być miejscem niedzielnych wizyt, a stał się jej nowym mieszkaniem, odczuwała przed nim dziwny strach. „A może – pomyślała zaskakująco dojrzale jak na dziesięciolatkę – może nie boję się domu, ciemnych mebli i trzeszczących schodów, a tego, co w domu zastanę?"

Potrząsnęła głową, odganiając koszmary. Jedno było pewne: od czasu pospiesznej wyprowadzki z blokowego M3 na Bródnie mogła spać spokojnie, pewna, że jeśli usłyszy nocą krzyk i odgłosy uderzeń, to będzie tylko oznaczało, że dziadkowie oglądają film na nowiutkim wideo przywiezionym z Ameryki. Że jeśli w środku nocy poczuje dotyk na twarzy, to będzie to babcia, a nie...

Beacie zrobiło się niedobrze. „Pomyślę o czymś innym – nakazała sobie – pomyślę, jakie to było śmieszne, kiedy ta nowa zrobiła z siebie błazna przed całą klasą, śpiewając tę głupią piosenkę. Ja bym się chyba spaliła ze wstydu. Babcia zawsze mówi mamie, że kobieta nie powinna robić z siebie widowiska. A babcia jest piękna mimo swoich sześćdziesięciu lat, babcia jest damą. A jednak ta nowa jest całkiem miła, chociaż dziwaczna..."

Drzwi na ganku uchyliły się, promień słońca zagrał na witrażowych szybkach, rzucając dookoła wielobarwne refleksy. W drzwiach pojawiła się korpulentna postać gosposi w fartuchu, zwieńczona na szczycie ogromnym kokiem z farbowanych na żółto włosów. Jej twarz rozjaśnił uśmiech, szeroki mimo widocznego cienia niepokoju.

– Jesteś wreszcie, dziecko, pani się już martwiła! Wchodź prędko, obiad czeka!

Za drzwiami rozpościerał się inny świat – pachnący pastą do podłogi, dymem fajkowego tytoniu i czymś jeszcze, czymś nieuchwytnym, co Beata nazywała w duchu „esencją domu". W smudze światła sączącego się przez szpary między ciężkimi, aksamitnymi zasłonami w salonie tańczyły drobinki kurzu, a promień słońca załamywał się w oprawnym w ciężką, drewnianą ramę kryształowym lustrze w przedpokoju. Drewno i aksamit. Ciężkie ciemne drewno było wszędzie, na ścianach, na podłodze widoczne spod dywanów, w meblach, które przechodziły z pokolenia na pokolenie. Muzyka, dobiegająca z salonu, zdawała się wsiąkać w drewno i kotary, wypełniając sobą całą przestrzeń. Matka grała coś smutnego, utwór nieznany Beacie, której muzyczna edukacja dopiero niedawno się rozpoczęła. Dziewczynka weszła do pokoju, starając się iść bezszelestnie, żeby nie wytrącić matki z transu, ale szczupła postać przy pianinie drgnęła i odwróciła się do drzwi.

– Witaj, córeczko – powiedziała kobieta prawie niedosłyszalnym szeptem.

Dziewczynka zatrzymała się na widok matki, jej zaczerwienionych oczu i ledwie widocznych śladów łez na policzkach. Nie musiała zerkać na pianino, wiedziała, że na jego szczycie stoi szklanka z grubego kryształu, rżnięta w misterne wzory, ukrywająca wewnątrz ciemnozłoty, intensywnie pachnący alkohol.

– Cześć, mamo – rzuciła Beata niedbale i uchyliła się od pachnącego whisky pocałunku. A potem odwróciła się na pięcie, wbiegła na górę po drewnianych schodach i zamknęła się w swoim azylu, w jedynym miejscu w tym domu bez dębowych boazerii i przyćmionego światła, za to z biało-różowymi mebelkami, tapetą w bukieciki polnych kwiatów i jasnymi zasłonkami, przez które przesącza się popołudniowe światło. Z dołu słyszała muzykę i podniesiony, ostry głos babci, przerywane szczękaniem rozkładanych na stole talerzy.

BEATA

Z samochodu mniej widać. Może dlatego zawsze przyjeżdżam tu samochodem. Koncentruję się na autach przede mną, na światłach i znakach, zmieniam biegi mojego chryslera z precyzją nabraną przez lata. W odtwarzaczu Amy Winehouse albo Anastacia – uwielbiam te ciemne głosy, przywodzą na myśl silne i nieco zniszczone kobiety, bywalczynie klubów i podejrzanych barów. Odruchowo kiwam głową w rytm muzyki i nie patrzę na boki, chyba że ktoś mnie wyprzedza, wtedy zwyczajem wszystkich warszawskich kierowców dodaję gazu, żeby nie myślał, że będzie łatwo tylko dlatego, że mam blond włosy i srebrny damski samochodzik.

Z samochodu nie widzę domów wyrosłych po obu stronach wylotówki, otaczających szkołę, nie wiem nawet, kiedy mijam naszą podstawówkę, z typowymi dla tysiąclatek oknami z sześciu szybek. Pewnego dnia, na geografii, jedno z tych okien spadło na Karolinę. Siedziałam w pierwszej ławce daleko przed nią i kiedy się odwróciłam, było już po wszystkim, odłamki szkła wszędzie dookoła i histeryczny wrzask dziewczyn na widok strużki krwi na ławce, plamiącej otwarty zeszyt w kratkę. Skończyło się na wizycie u pielęgniarki i plastrze na przedramieniu, a kilka dni później Karolina

31

pokazywała wszystkim sinofioletową bliznę trochę powyżej nadgarstka, wyglądającą jak ślad po nieudanym samobójstwie. Wszyscy mamy blizny, zbieramy je przez całe życie. Blizny po dziecinnych upadkach i szkolnych bójkach, po wyciętym wyrostku i po dziecku wyjętym z brzucha w chwili, kiedy jego serce już przestawało bić. Blizny po chwilach, gdy ciała nas zawodziły, nie spełniając naszych oczekiwań. I blizny wewnątrz, niewidoczne – od ostrych odłamków pijackiego krzyku rozpryskującego się po domu jak szkło ze szkolnego okna, od wyzwisk rzucanych w twarz na podwórku. Tych blizn nie pokazujemy nikomu, bo gdy je pokazujemy, ludzie odwracają głowy i zmieniają temat, a w najlepszym wypadku rozpoczynają licytację. Wolałabym taką bliznę jak Karoliny, siną krechę na ręku wzbudzającą grymas fascynacji i obrzydzenia jednocześnie na kilkunastu dziecięcych twarzach. Matka Karoliny trzymała jej rękę w mocnym uścisku, kiedy podwijała rękaw jednej z kolorowych bluzek córki, podstawiała dyrektorce tę krechę pod nos, jak kawał nieświeżego mięsa u rzeźnika, i głosem piskliwym ze zdenerwowania domagała się milicji, odszkodowania i badania lekarskiego.

– Mamo, dajże już spokój, to nawet nie boli! – Karolina toczyła po klasie oczyma demonstracyjnie wywróconymi do góry. „Patrzcie, to moja stara, odbiło jej, ja nie mam z tym nic wspólnego", mówiło to spojrzenie.

Moja matka w najlepszym razie zrobiłaby z siebie widowisko. Na wywiadówkach pojawiał się dziadek, a jej zadaniem było tylko podpisywanie moich stopni. Dlatego nie patrzę w okna szkoły, choć wymieniono je już na nowe, plastikowe jak wszystko dookoła. Płot szkoły ginie pod plastikowymi tablicami reklamowymi: naprawa pralek i wyburzanie ścian, hurtownia artykułów dziecięcych i sklep z odzieżą używaną, codziennie nowy towar i niskie ceny! I tak zauważam za dużo, choć nie chcę patrzeć. Widzę, że drzewo morwowe ścięto, chociaż bardzo staram się patrzeć tylko na czerwone audi przede mną, którego właściciel uparcie nie używa kierunkowskazu, mimo że zmienia co chwilę pas ruchu w złudnej nadziei, że tym drugim dojedzie szybciej do celu. Coś ściąga moją głowę w bok, dostrzegam w prześwicie pomiędzy wysokimi srebrnymi świerkami szczyt dachu domu dziadków i moje dawne okno na pierwszym piętrze. Nie widziałam tego domu, od kiedy nagle stał się spadkiem po dziadkach. Matka uporządkowała go i sprzedała jakiemuś mecenasowi, który wypatroszył go z boazerii, wymienił okna na brązowe ze złotymi szprosami dzielącymi szyby na maleńkie prostokąty i w salonie babci podpisywał akty notarialne, ściskając klientom dłonie ręką o suchej, łuszczącej się skórze. Ciekawa jestem, czy pozbył się zapachu perfum i whisky, i wspomnienia muzyki wżartego głęboko w ściany, tak że czasem nocą ze snu budziły mnie jej echa.

Patrzyłam w prawo o ułamek sekundy za długo, tymczasem kierowca czerwonego audi gwałtownie zahamował. Dociera to do mnie chwilę za późno. Kiedy zderzaki naszych aut stykają się, mimo że naciskam hamulec z całych sił, przez głowę przebiega mi absurdalna myśl: teraz będę miała prawdziwe blizny, takie do pokazywania innym – ale pas przytrzymuje mnie w miejscu i wszystko kończy się tylko lekkim zgrzytem blachy i trzaskiem pękających reflektorów. Potem – cisza.

I przekleństwa.

– Pieprzone baby!

Ktoś szarpie za drzwi mojego auta. Kierowca audi, z resztkami czarnych włosów maskującymi łysinę, z garbatym nosem i czarnymi, nastroszonymi wąsami. Za nim drugi, podobny. Brat?

– Wiedziałem, baba! Wysiadaj, kurwa. Patrz, co narobiłaś, nowe auto, prosto z Niemiec! – wrzeszczy kierowca.

Wysiadam jeszcze oszołomiona szybkością, z jaką to się wydarzyło, posłusznie oglądam pogięte blachy i potłuczone światła. Wrzaski wąsatego pachną kiepskim tytoniem i popsutymi zębami, robi mi się niedobrze, ale powstrzymuję mdłości. Nikt nie będzie oglądał Beaty rzygającej jak kot na ścieżce rowerowej, nie tutaj. Nie dam im tej satysfakcji, przełykam kwaśną falę podchodzącą do gardła. Po chwili, zaskakująco szybko, przyjeżdża policja.

Na widok policjanta o zmęczonej, nalanej twarzy ozdobionej wiechciem słomianożółtych wąsów pod wydatnym nosem – czy wszyscy tu mają wąsy, czy rzeczywiście Polak z prowincji i wąsy to całość uświęcona tradycją, a wygolone twarze są odstępstwem? – zastanawiam się przez chwilę, czy mógłby być tym młodym, postawnym milicjantem, który pilnował mnie i Karoliny na komendzie dzielnicowej. Dwie nastolatki przyłapane na drobnej kradzieży, czekające na rodziców, dziadków i słuszne lanie. Chyba jednak jest za młody, to tylko zmęczenie nadaje mu wygląd pięćdziesięciolatka. Przyjmuję mandat – tym razem nikt nie przyjedzie, lania nie będzie. Tłumek gapiów zebrał się zadziwiająco szybko, jak kiedyś, kiedy zginął tamten chłopiec nazywany brudasem. Wtedy wyciągałyśmy się nawzajem z domów, krzyczałyśmy przez płoty: „Chodź, prędko, wypadek na szosie, chcesz popatrzeć?", i na naszych rowerach jechałyśmy, łaknąc zapachu świeżej krwi, spalonej gumy i rozlanej benzyny, z nadzieją na soczyste przekleństwa kierowców, wycie karetki pogotowia i czarny worek, w którym niknęły ciała przejechanych.

Rozglądam się za charakterystyczną sylwetką Zenka, za jego niepowtarzalnym beretem z antenką i gumiakami. Szukam w tłumku siwej głowy. Byłby pierwszy, zawsze był, wciągał zapachy wypadku w szerokie nozdrza, kiwał za dużą głową z wyrazem tępego zamyślenia na twarzy. Karolina wybuchała śmiechem; Gośka chowała twarz w dłoniach ze wstydu, za nic w świecie nie przyznałaby pierwsza, że to jej kuzyn; Aneta wzdrygała się z obrzydzenia i strachu, a jednocześnie nie mogła oderwać od niego oczu, jak zahipnotyzowana mysz.

Ale jego tu nie ma. Miałby pewnie ponad sześćdziesiątkę, może już nie żyje albo jest w jakimś domu opieki, na wieloosobowej sali gra w wojnę z podobnymi sobie mężczyznami o umysłach kilkulatków.

– Pomóc pani? – z tłumku wyrywa się korpulentna kobieta, z typu tych, które najgłośniej krzyczą do kamer, kiedy przyjeżdża telewizja, bo eksmitują wielodzietną rodzinę albo rozbierają budynek przedszkola. Kobieta w niemodnym ubraniu prosto ze sklepu z odzieżą używaną, w trwałej i okularach, którą widać w każdym programie telewizyjnym, jak mówi: „To taka dobra rodzina była, takie dobre dzieci", i załamuje ręce.

Ta kobieta przytrzymuje mnie delikatnie – więc jednak upadłam, a przecież nie pamiętam upadku. Siedzę na chodniku jak zepsuta lalka, chodnik krzywy, a tuż przed moimi oczami złoty guzik od swetra tej kobiety. Kobieta wpatruje się we mnie uważnie, rejestruje wszystko, żeby potem wykrzyknąć do kamery coś o piratach drogowych i ograniczeniach prędkości. Ale nie dam jej tej satysfakcji, wstaję, otrzepuję spodnie z brudu.

– Dziękuję – mówię – to nic, zakręciło mi się w głowie, już przeszło.

Kobieta jednak dalej patrzy na mnie, za szkłami okularów jej wyłupiaste oczy zdają się zabawnie wielkie, aż wreszcie wykrzykuje:

– Wiem, wiedziałam od razu, że panią skądś znam! Pani jest Beatka, córka Hani? Jak tam mamusia?

– Dobrze – odpowiadam.

Wiem, że muszę stąd jak najszybciej uciec, bo tu już zawsze będę Beatką, córką Hani, tej biednej, zmarnowanej Hani od Woźniaków. Tu nigdy nie miałam szans zostać kimś innym, choć próbowałam z całych moich sił, tu nikt nigdy nie zauważył, że nie jestem już piętnastolatką, a sąsiadki otaczały mnie macierzyńską troską tylko po to, żeby po chwili w zaciszu domu plotkować o mojej matce i nieobecnym ojcu, żeby cmokać z niesmakiem na moje pomalowane paznokcie.

Przechodzi mi przez myśl, że nie powinnam była naciskać hamulca, słuchać instynktu, że powinnam zginąć tu, na wylotówce, ledwie kilometr za fast foodem, pięć minut piechotą od pegeerowskiego pola nad kanałem, gdzie tak dawno znaleziono rower Anety. Może to wyrównałoby rachunki: srebrny chrysler za czerwony rower, w końcu jesteśmy dorosłe, nasze dziecinne rowery się zdewaluowały i nic mniejszego nie wystarczyłoby jako zadośćuczynienie. Zaraz jednak odrzucam tę myśl, w domu czeka na mnie prawdziwe życie, przewrócony rower jest tylko cieniem przeszłości. To wina tego miejsca, które wciąż przechowuje jakieś cząstki mnie, jakiś osad w powietrzu i na chodnikach, cząsteczki DNA zmieszane z ziemią na polach i wmieszane w drzewa, parujące w powietrzu. A na prawdziwą mnie czekają mąż i syn w zupełnie innym, lepszym miejscu, w które dopiero zaczynam wrastać i w którym zostawiam ślad. Dlatego pozwalam odholować samochód do warsztatu i zamawiam taksówkę do domu na drugim końcu miasta. Macham grubej kobiecie na do widzenia.

1983: SWEET DREAMS

Karolina biedzi się nad rubrykami na kartce, którą dostała od wychowawczyni. Wszyscy w klasie dostali takie karteczki do wypełnienia, zaległa cisza, w której słychać tylko skrzypienie długopisów. Karolina uwielbia cichy szelest, jaki wydaje jej enerdowskie pióro ślizgające się po gładkim papierze. Pióro, które w niemieckiej szkole było oczywistością za kilkadziesiąt fenigów, w Polsce nabrało magicznej mocy, stało się obiektem pożądania innych dzieci. Karolina zawsze pilnuje, żeby to plastikowe, zielone cacko z niebieską skuwką zostało po lekcji bezpiecznie zamknięte w piórniku. Jeśli je zgubi, ojciec znowu powie coś o tym, że przedmioty trzeba szanować, że się z mamą starają, żeby miała wszystko, co najlepsze, a ona tak po prostu gubi porządne, drogie pióro. W Niemczech nie byłoby z tym problemu, poszłyby do Kaufhalle i kupiła nowe za kilkadziesiąt fenigów, za równowartość tłustych waniliowych lodów zamkniętych między dwoma waflami. W Polsce pióro za kilkadziesiąt fenigów jest przedmiotem nieosiągalnym i nabiera wartości, nie wspominając o chińskich kredkach świecowych z misiem panda na pudełku, które mama gdzieś „zdobyła" na „talon". Karolina nie lubi tego dziwnego kraju, gdzie na kredki trzeba mieć jakiś „talon", a głupie pióro trzeba sobie przywieźć zza granicy.

Wpisała już swoją datę urodzenia i adres, teraz zastanawia się nad rubryką „zawód ojca". Zagląda przez ramię Gosi, która topornym, czerwonym długopisem marki Zenit pracowicie kaligrafuje: „chodowca warzyw".

– Ej, to się pisze przez samo ha! – Karolina trąca Gośkę w ramię. – Jak huśtawka – sięga do piórnika, żeby pożyczyć koleżance tintenkillera, magiczny mazak do zamazywania błędów, ale w porę przypomina sobie, że killer ściera tylko atrament, nie radzi sobie z długopisami.

– Jesteś pewna? – Gośka wpatruje się w nią wielkimi, brązowymi oczami. – Spytam jeszcze Beatę.

– Napisz po prostu badylarz, przez er zet na końcu – Beata odwraca się ze swojej ławki ze złośliwym uśmieszkiem, a wielkie oczy Gośki napełniają się łzami. Wie, że została obrażona, ale nie umie zareagować, cios przyszedł z zupełnie nieoczekiwanej strony.

– Nie rycz, pisz hodowca przez samo ha! – Karolina przytula koleżankę i cedzi w stronę pleców Beaty z prościutko opadającym jasnym warkoczem: – Ale ty głupia jesteś, wiesz? – po czym, uważając, żeby się nie pomylić, wpisuje w rubrykę „zawód ojca" słowo: „dyrektor".

– Dyrektor to nie jest żaden zawód, ty głupia! – mądrzy się Beata w drodze ze szkoły.

Przystanęły w pół drogi, przy pętli autobusowej, i piją jogurt kupiony w sklepie spożywczym na rogu, zagryzając kajzerkami. Jogurt to zupełna nowość dla Karoliny, coś jak rzadka śmietana o mdłym, jakby pomarańczowym aromacie, w kwadratowym pudełku, na którym narysowano rozmaite owoce, ale zapach nie pasuje do żadnego z nich.

– Tak samo badylarz to nie jest zawód – dodaje.

– Tak? To ciekawa jestem, co robi twój tata? – pyta Gośka, jeszcze obrażona i zła.

– Mój tata jest marynarzem – odpowiada Beata bez śladu wahania. – Niedawno wypłynął w rejs do Australii i przywiezie mi stamtąd mnóstwo rzeczy, kiedy wróci. Jeżeli wróci… – dziewczynka zawiesza głos dla efektu i dodaje: – Bo będzie musiał przepłynąć naokoło przylądka Horn, a tam wieją niesamowite wiatry. Jeżeli wydarzy się katastrofa, będzie musiał dryfować na tratwie ratunkowej wiele dni bez jedzenia i wody, aż dopłynie do brzegów Afryki, i wtedy uratuje go jakieś plemię Masajów, z wielkimi kolczykami i obręczami na szyjach. A w końcu przywiezie mi taką obręcz i spódniczkę z trawy… Nie wiedzą, co na to odpowiedzieć. Wytrzeszczają oczy w zachwycie i zazdrości. Wyobrażają sobie świat jak z książek, które pochłaniały – przygody Tomka, Lwica Uanga, wreszcie zaczytane *W pustyni i w puszczy*. Masajowie o hebanowej skórze, ze lśniącymi złotymi kołami w uszach, lwy skradające się z groźnym pomrukiem przez sawanny do sklecionego w pośpiechu szałasu, w którym ukrywa się tata Beaty – tajemniczy, zagubiony marynarz. Gosia wzdycha, Karolina kopie kamień, aż uderza w blaszaną ścianę sklepiku. Z pętli z rykiem silnika odjeżdża autobus, wielkie cielsko obłażące z czerwonej farby.

– Mam pomysł! – krzyczy Gosia. – Załóżmy tajne stowarzyszenie afrykańskich wojowniczek!

Był jeden z ostatnich pogodnych październikowych poranków, kiedy spotkały się w ogródku rodziców Karoliny, przy cherlawym, niedawno zasadzonym dębie, w kępie krzaków posadzonych przez jej ojca. Liście dębu, ozdobne, czerwone i połyskliwe, zaścielały krótko przystrzyżoną trawę wokoło, na krzakach pyszniły się gronka drobnych czerwonych i pomarańczowych kulek. Brat Karoliny, pięcioletni Jacek, bawił się w piaskownicy, przesypywał zimny, wilgotny piasek z foremki do wiaderka, udając, że nie podsłuchuje, ba, że sprawy dziewczynek go nie obchodzą. Za ogrodzeniem z krzywej, pordzewiałej siatki, której nie zakrywał w pełni żywopłot z ligustru, gromadka dzieci sąsiadów, wielkich, słowiańskich dziewczyn z warkoczami, bawiła się hałaśliwie. Karolina, Beata i Gosia przycupnęły za niewielkim wałem usypanym z ziemi i porośniętym trawą. Wewnątrz półokręgu wyznaczonego wzniesieniem czerniła się sterta węgielków pozostałych po niedawnym ognisku. Beata pośliniła palec i wsadziła go w popiół, rozgniotła grudkę zwęglonego drewna. Czarnym palcem narysowała sobie smugi na policzkach.

– Jestem wojowniczką – powiedziała prawie szeptem. – Teraz wasza kolej.

Jej gest powtórzyły Gosia i Karolina i po chwili wszystkie trzy miały czarne pręgi na policzkach. Karolina wyjęła z kieszeni szpulkę czarnej nitki z wbitą igłą i złożoną na czworo kartkę wyrwaną z zeszytu w kratkę.

– Jedna za wszystkie, wszystkie za jedną – odczytała z kartki. – Zawsze razem, zawsze wierne, oddamy za siebie dusze i życie – zakończyła uroczyście, po czym wbiła czubek igły w opuszkę palca serdecznego. Skrzywiła się.

– Auć, boli. – Nacisnęła palec, na jasnej skórze pojawiła się pęczniejąca powoli czerwona kropelka. Igłą umoczoną we krwi nagryzmoliła pod tekstem swoje inicjały: KB.

Pozostałe dziewczynki uczyniły tak samo, a po chwili, zanim krew zaschła, zetknęły w powietrzu trzy palce.

– Niech nasza krew się wymiesza! Odtąd jesteśmy siostrami! – wyszeptała poważnie Beata.

Chciała powiedzieć coś jeszcze, ale przerwał jej dziecinny głosik Jacka:

– Ale wy głupie jesteście! Powiem mamie!

Tego wieczoru Karolina jak zwykle w soboty mogła posiedzieć dłużej. Zawinięta w koc na kanapie w dużym pokoju oglądała zza pleców mamy, siedzącej na fotelu, kino nocne na Jedynce. Zwykle uwielbiała te wieczory, kiedy po kolacji i kąpieli pozwalano jej i bratu zostać dłużej w pokoju oświetlonym jedynie mdłym światłem stojącej w kącie lampy z brudnozłotym abażurem z frędzlami i bladoniebieską poświatą telewizora. Rodzice oglądali film, popijając herbatę, a Jacek zasypiał zwinięty w kulkę w drugim kącie wielkiej kanapy. Lubiła nocne filmy, horrory pełne wstających z grobu zombie i nawiedzonych domów, kryminały na podstawie książek angielskich pisarzy, gdzie morderca ukrywał się pod maską układnego kamerdynera, przygody Sherlocka Holmesa i węgierskie dramaty, z których nie rozumiała prawie nic. Tego wieczoru jednak nie umiała się skupić na przygodach młodego małżeństwa w domu pełnym tajemniczych zjaw, za to co chwila dotykała kciukiem czubka palca serdecznego, żeby poczuć lekkie ukłucie bólu i przypomnieć sobie o przysiędze złożonej w ogrodzie. Kiedy zasnęła, śniła o tańczących Masajach z oszczepami, którzy porywali ją i koleżanki, aż wreszcie na statku pod pełnymi żaglami zjawiał się ojciec Beaty, ogorzały i dumny, z grzywą siwych włosów i blizną na czole, i ratował je z niewoli czarnoskórych wojowników.

GOŚKA

Uwierzyłam w Masajów i w statek. Nawet później, kiedy już wiedziałam wszystko, obraz czarnoskórych wojowników z tarczami i złotymi kołami w uszach wracał czasem jak ilustracja z czytanej w dzieciństwie książki, z której pozostało tylko wspomnienie ulotnej magii. Murzyńscy wojownicy – to pasowało do tej dziewczyny, tak obcej i tak oddalonej od nas jak to tylko możliwe.

Zostałam tylko ja, z całego braterstwa krwi. Choć nie miałam do zaoferowania nic ponad nadmiernie słodkie, przejrzałe owoce morwy z ogrodu Zenka. Ja jedna trwam na straży Leśnego i jego tajemnic. Zapuściłam tu korzenie. Po śmierci mamusi Tomek kilka razy proponował mi wyprowadzkę, ale zawsze szukałam powodu, dla którego powinnam tu zostać, patrzeć, jak moje dzieci idą moimi śladami do mojej szkoły, mijając morwowe drzewo, pętlę autobusową, dom dziadków Beaty, boisko szkolne, dzisiaj wyłożone równiuteńką gumową nawierzchnią, pod którą trwają ślady naszych przegranych i wygranych w zbijaka i siatkówkę.

W niedzielę po spotkaniu z Karoliną i Beatą wybrałam się, jak co tydzień, na cmentarz Bródnowski. Jazda autobusem wzdłuż kolorowych fasad nowo wybudowanych osiedli uspokaja mnie i daje czas na zebranie myśli. Minęło już ponad dziesięć lat, od kiedy mamusia poszła na operację do szpitala i nie wróciła, od chwili, kiedy na korytarzu pomalowanym zieloną olejną farbą podszedł do mnie wymęczony chirurg z siwym zarostem kiełkującym po kilkunastogodzinnym dyżurze i bezradnie rozłożył ręce. „Serce – powiedział – próbowaliśmy reanimować, ale nie udało się, zresztą to lepiej – ściszył głos – rak był wszędzie, nie moglibyśmy i tak nic zrobić".

W jednej chwili razem z mamą zniknęło wszystko: zapach ciasta i tłuszczu z patelni, jej głos, zaskakująco wysoki w kościelnym chórze, ciepło jej stukilowego ciała, dotyk dłoni na czole, kiedy chorowałam, stukot maszyny do szycia. To wszystko gdzieś tam na sali operacyjnej rozwiało się i zniknęło. A mimo to czasami czuję jej obecność, w domu, na schodach. Echo nucenia, kiedy zasypiam.

– Nie przyjaźnij się z nią, to nie jest dobre dziecko – powiedziała kiedyś mamusia o Beacie, ale ja wtedy jeszcze wierzyłam w Masajów i w wielki biały okręt na rozszalałym oceanie.

Cmentarz Bródnowski to jedno z najpiękniejszych miejsc Warszawy. To od niego zaczynał się świat, do którego tak uparcie dążyły Beata z Karoliną, i na nim kończył się mój świat. Świat, którego nie zamierzałam opuszczać. Tu już bezsprzecznie była Warszawa, może ta gorsza Warszawa, ale jednak. Zaniedbane kamieniczki i bloki z wielkiej płyty wyraźnie sygnalizowały, że miasto objęło ten teren w swoje posiadanie. I cmentarz też. Kilka dni po Święcie Zmarłych ostatni przemarznięci sprzedawcy pańskiej skórki jeszcze stali pod bramą. Ojciec naszego kolegi z klasy był kamieniarzem, jego zakład niedaleko bramy pysznił się olbrzymim aniołem z różowego granitu, zamówionym kiedyś dla czyjejś młodej żony zmarłej w połogu i nigdy niewykupionym. Kolega przejął zakład, sprowadził się bliżej, wykupił reklamę w gazecie obok nekrologów i nie odpowiadał na moje pozdrowienia, kiedy przypadkiem spotykaliśmy się na ulicy; był zwalisty i ponury jak jego ojciec – siwy olbrzym naznaczony setkami dat cudzych śmierci wykutych w kamieniu. Nasz rodzinny grobowiec kuli się nieśmiało pod płotem cmentarza. Niepozorne szare lastryko z lat siedemdziesiątych, kiedy to zmarł dziadek. Imiona, nazwiska, daty urodzin i śmierci wyryte i powleczone czarną farbą. Znicz w kształcie serca zgasł, zanim dopalił się w plastikowym słoju. Wyrzuciłam przywiędłe kwiaty i pomodliłam się nad grobem, ale tym razem nic nie czułam, słowa modlitwy nie trafiały w niczyje ucho, ulatywały w szare powietrze. Może tak ma być, pomyślałam, może mamusia jest już tak bardzo gdzie indziej, że nie potrzebuje mojego różańca.

Ktoś inny jednak go potrzebował, chyba bardziej niż zwykle. Ktoś, kto za życia potrzebował niewiele i wydawał się tylko groźnym cieniem na naszej drodze. Dziecko w ciele dorosłego, na którego widok przechodziły nas ciarki. Pod nazwiskami ciotki i wuja widniało jego nazwisko, „Zenon Kalata, ur. 1946, zm. 1998", nic więcej. Odmówiłam dziesiątkę różańca. Odwróciłam się, chciałam szybko odejść, jak wtedy, gdy czekał na nas przy płocie albo pod sklepem. Wydawało mi się, że stoi przy własnym grobie, czekając na mnie. Poczucie czyjejś obecności było tak silne, że rozejrzałam się dookoła w poszukiwaniu kogoś, kto stał blisko i patrzył na mnie, ale nikogo nie było. Przemknęły mi przez myśl wszystkie historie o napadach na samotne kobiety na cmentarzach. Już miałam uciec, kiedy uświadomiłam sobie, że muszę pójść jeszcze w jedno miejsce, zanim w sztucznie hamowanym pośpiechu ruszę w stronę drewnianego kościółka i cmentarnej bramy.

Nie byłam na tym grobie od jej pogrzebu. Wtedy był kopczykiem ziemi zwieńczonym drewnianym, surowym krzyżem. Kiedy odeszli i jej rodzice, siostra musiała wystawić nagrobek – czarny kamień, złote litery, szare twarze wytrawione w połyskliwej powierzchni, ziarniste jak zdjęcia w starej gazecie. „Aneta Wrona, 1973–1988, zmarła tragicznie".

„Obecna", powinna zawołać i wstać niezgrabnie ze swojego krzesła w ławce pod oknem, na wieki zastygła w tej chudej twarzy o spiczastym podbródku, w oczach za grubymi szkłami.

Ktoś położył na płycie wieniec z białych, plastikowych storczyków. Ktoś zapalił dwa znicze. Ktoś włożył w dwa kanciaste wazony po obu stronach płyty białe chryzantemy. Uczucie czyjejś obecności nasiliło się, ale po chwili zniknęło. „Idź sobie – krzyczał cały ten grób. Twarz Anety na płycie była rozmazana, zamknięta, obca. – Idź sobie, idź do nich, jak zawsze, ja cię już nie potrzebuję".

Usiadłam na drewnianej ławeczce i zaczęłam przesuwać w palcach koraliki różańca. Kiedy wracałam, zapadał wczesny, listopadowy zmierzch, a wrony krakały w bezlistnych gałęziach wysokich drzew.

Odwagi – tego mi było trzeba. Odwagi, żeby opowiedzieć to, co wiedziałam.

1985: THE NEVERENDING STORY

Żadna z nich nie widziała filmu, ale z teledysku znały białego smoka o psim pysku frunącego poprzez rozgwieżdżone niebo. Kiedy w telewizji nadawali *Przeboje Dwójki*, Gosia siadała na podłodze przy samym telewizorze, stojącym na lakierowanej meblościance pośrodku pokoju, i w absolutnej ciszy i bezruchu słuchała, nie roniąc ani jednej nuty. Domownicy siedzieli cichutko w swoich pokojach, bo rozklekotany grundig nagrywał nawet echo kroków w drugiej części domu. A jeśli obluzowała się wtyczka w magnetofonie stojącym z mikrofonem tuż przy głośniku telewizora, wtedy wszystko na nic i trzeba było czekać do następnego dnia, a następnego dnia mogli jak na złość puszczać tylko polskie piosenki. *Lucciola* jeszcze mogła być... „On znowu woła mnie poprzez wiatr...", ale inne piosenki nie umywały się do absolutnej doskonałości kawałka ze smokiem.

– Jest piękny... – westchnęła Karolina, kiedy piosenka się skończyła.

– Daj, sprawdzimy, czy się nagrało! – Gośka wcisnęła guzik przewijania i grundig z leciutkim jękiem protestu zaczął cofać taśmę. Nie zdążyły jednak wysłuchać nawet początku piosenki, gdy otworzyły się białe drzwi z żółtą szybą tłoczoną we wzorek. Stała w nich mama Gosi, wypełniając je szczelnie swoją potężną sylwetką.

– Małgosiu, koleżanka jakaś do ciebie. I ściszcie to trochę, dziewczynki, tata odpoczywa! Ciasta wam przyniosę, chcecie? Gosia machnęła niecierpliwie ręką, a Karolina trochę pożałowała. Lubiła ciasta pani Królak: domowe, ciężkie, z tłustym maślanym kremem. Uwielbiała jej własnoręcznie zrobione czekoladki, niekształtne, chropowate, krojone na blasze w nierówne prostokąty, pachnące skondensowanym mlekiem i orzechami. Lubiła mamę Gosi za jej czerwone, spracowane ręce, za zapach kuchni, jaki wnosiła do pokoju na swoich poliestrowych podomkach w kwiaty, za siwe włosy w trwałej ondulacji. Za to, że była tak inna od jej mamy, zabieganej, pędzącej ze spotkania na spotkanie. Kiedy Gosia miała kłopot, wystarczyło jej zejść do kuchni w suterenie ceglanego klocka i przytulić się do maminego fartucha. Karolina problemy chowała w sobie, do pamiętnika obłożonego w kartkę z kalendarza, albo opowiadała babci, niedosłyszącej i wiecznie przygarbionej nad deską do prasowania lub zlewozmywakiem. Czasem dzwoniła do mamy do pracy albo czekała na jej powrót, na warkot czerwonego malucha na osiedlowej uliczce i trzask zamykanych drzwiczek, a potem szczęk klucza w zamku i znajomy zapach perfum, słodki i ciężki.

Jednak kiedy Beata, podekscytowana, wbiegła do pokoju, szybko zapomniały o domowym cieście ze śliwkami. Beata jak zawsze nieskazitelna w dżinsowej spódnicy prosto z bazaru w Rembertowie i czeszkach, które chyba prała co wieczór, tak były białe, miała niezwykłe dla niej rumieńce i błyszczące oczy, a z jej warkocza, sięgającego już paska u spódnicy, wystawało kilka luźnych kosmyków. A co najbardziej niezwykłe, na opalonym kolanie tuż nad gumką białych podkolanówek widniało świeże, czerwone zadrapanie – kreseczka z kropelką krwi na jednym końcu, jeszcze czerwoną, ledwo zakrzepłą w strupek.

– Mam wam coś do pokazania! – wyszeptała od progu, nie zważając na to, że akurat w tej chwili *The Neverending Story* dobiegała do najpiękniejszego refrenu. Jeszcze wczoraj nie pozwoliłyby nikomu odezwać się w takiej chwili, uciszyłyby koleżankę niecierpliwymi psyknięciami, żeby wytrzymała dodatkowe kilkadziesiąt sekund. Jednak nagraną piosenkę można było wysłuchać setki razy, w dowolnej chwili, i stała się mniej atrakcyjna.

– A co ci się stało w kolano? – Gośka jak zwykle była dociekliwa.

– E, nic. Uciekałam przed Zenkiem. Chodźcie już!

Poprowadziła je ścieżką wiodącą wzdłuż pegeerowskich pól, za kanałek. Po rozchwianym mostku przeszły gęsiego, uważnie stawiając stopy, żeby nie spaść. W ciepłym, jesiennym powietrzu smród brunatnej wody, przypominającej zawartość szamba, nie był już tak duszący jak w letnim upale, ale nadal wyczuwalny. Nadchodził kolejny październik. Minęły dwa lata, od kiedy podpisały krwią przysięgę wiecznej przyjaźni, włosy im urosły i spłowiały po wakacjach, nawet w ciemnych lokach Gosi widać było jaśniejsze, rudawe pasemka. Pod jej spraną, niebieską bluzką zaznaczały się już zawiązki piersi, ale pozostałe dwie dziewczynki na razie nie zazdrościły jej tego. Uznawały to za kolejną dolegliwość wynikającą z nadwagi, jak ciemne rumieńce na policzkach po biegu i ostry zapach bluzek pod pachami, mimo podbierania starszej siostrze dezodorantu Fa kupowanego na bazarze.

Przeszły kawałek ścieżką, po czym skręciły w znaną im doskonale ulicę, przecinającą drogę prowadzącą do pętli autobusowej. Od dawna nie padało. Z każdym ich krokiem ze spieczonej nawierzchni unosił się kurz i osadzał na białych czeszkach Beaty i sandałach Gośki i Karoliny. Po obu stronach ulicy, czy raczej dróżki stały kolorowe domki – maleńkie zbudowane tuż po wojnie obok wielkich klocków z czerwonych i białych pustaków, z nieogrodzonymi tarasami i betonowymi schodami. Te mniejsze domki otaczały ogródki pełne kwitnących dalii i pierwszych astrów, przed nowszymi panował budowlany rozgardiasz: deski, hałdy piachu, betonowe płyty, zwoje siatki ogrodzeniowej. Gdzieniegdzie chude, zaniedbane psy ze śliną ściekającą z pysków biegały wzdłuż niepomalowanych ogrodzeń.

Wreszcie Beata stanęła i gestem ręki nakazała im się zatrzymać. Popatrzyły na nią ze zdumieniem. Stały przed płotem jednego z nowo budowanych domów, który tym jednak różnił się od innych, że nie miał kształtu kostki, a stanowił wymyślną bryłę, podobną do kościoła: z wielospadowym dachem i dziurami przeznaczonymi na mansardowe okna, z maleńkim wykuszem na pierwszym piętrze i kilkoma balkonami umieszczonymi pozornie nielogicznie w najdziwniejszych miejscach. Zamiast tradycyjnej siatki plac budowy otaczał płot zbity niedbale z jasnych, szorstkich desek, z których tu i ówdzie powypadały sęki, co pozwalało na zajrzenie do środka. Jednak widok przez dziurę też je rozczarował. Nie było tam nic, czego by się nie spodziewały zobaczyć: taczki, betoniarka, kupa gruzu i piasku, sterty desek przykryte folią podfruwającą w górę przy każdym podmuchu ciepłego wiatru, który coraz bardziej przybierał na sile.

– No i co? – Karolina odezwała się pierwsza. – Budowa jak budowa, co tu do oglądania?

– Jest opuszczony – wyszeptała konspiracyjnie Beata, rozglądając się na boki, jak gdyby ktoś mógł je podsłuchiwać, chociaż na ulicy nie było żywego ducha, tylko wiatr porywał pierwsze liście spadające z drzew.

– E tam, opuszczony – parsknęła Gosia. – Jeszcze go nie zbudowali, a już opuszczony?

– Właśnie! Sąsiadka mi dzisiaj mówiła, że tu budowali znajomi jej mamy, ale coś się stało i nie dokończą.

– No i co? – Karolina wierciła czubkiem buta dziurę w piaszczystej drodze, obserwując z zainteresowaniem, jak jej biała podkolanówka robi się coraz brudniejsza od kurzu. – No i same zobaczcie! – Beata z triumfującą miną podbiegła do ogrodzenia, tam gdzie deski stykały się z siatką otaczającą sąsiednią posesję, i z pewnym trudem uniosła jedną z nich. – Przeciśniecie się?

– No, nie wiem – Gośka popatrzyła na otwór w płocie z pewną nieufnością. – Znaczy, zmieszczę się, ale co jak nas ktoś złapie? Chyba to zakazane łazić po cudzych domach? – Nudzisz! Nikt cię nie złapie, od miesiąca nikt tu nie przychodził! – Beata pociągnęła koleżankę za rękaw. – Chodźcie, będzie romantycznie. Może tu straszy! Będziemy sobie wyobrażać, że jesteśmy księżniczkami w wieży albo odkrywcami we wraku zatopionego statku, albo że badamy nawiedzony dom…

Na dźwięk słowa „nawiedzony" Karolina poczuła przyjemny dreszczyk emocji. Taka przygoda przypominała jej książki o Panu Samochodziku, tajemnicze ruiny zamków, białe damy na wieżach. To było coś zupełnie innego niż chowanie się po ogródkowych krzakach i zabawa w posypywanie ślimaków solą, żeby zalały się pienistym śluzem i porzuciwszy skorupki, wyszły na wierzch.

– Chodźmy – zgodziła się i jako pierwsza przecisnęła się przez szparę w ogrodzeniu, wbijając sobie przy tym drzazgę w ramię i sycząc z bólu przy niespodziewanym ukłuciu. Za nią, prawie bez wysiłku, nie dotykając desek, na podwórko dostała się Beata, giętka jak wąż. Ostatnia, zasapana i podrapana, ze zmierzwionymi czarnymi włosami Gosia, która skojarzyła się Karolinie z zabawnym obrazkiem przedstawiającym Kubusia Puchatka zaklinowanego w norce Królika.

Przebiegły przez podwórze, omijając deski, kamienie i piach, aż dotarły do schodów na ganek wylanych z betonu, podobnie jak dwie kolumienki podtrzymujące daszek zbity z desek.

W miejscu, gdzie miały kiedyś znaleźć się drzwi, widniała płachta przezroczystej folii przybita od góry gwoździami. Wewnątrz domu walały się wiadra i deski, surowy beton podłogi pochlapany był zaprawą, a w jednym z pomieszczeń, które wyglądało na przestronny i jasny pokój dzienny, ktoś zmontował prowizoryczny stolik z dwóch desek położonych na pustakach.

Na tym stoliku, nakrytym kawałkiem ceraty, stały dwie musztardówki, pusta butelka po żytniej i zaskakująco elegancka, wyszczerbiona szklanka w srebrnym koszyczku, wypełniona w dolnej części fusami od kawy, a w górnej – niebieskawym kożuchem pleśni.

– Wyobraźcie sobie, że nikt tu nie przyjdzie przez następne lata... – zaczęła Beata przyciszonym głosem – i pleśń wyjdzie z tej szklanki, rozpełznie się po tym stoliczku, ceracie, spełznie na podłogę, wypełznie na ściany, pokryje wszystko futerkiem... A kiedy ktoś wreszcie kupi ten dom, otworzy drzwi i zobaczy górę niebieskiej pleśni, która pożre wszystko!

Złapała szklankę za uszko od srebrnego koszyczka i nagłym ruchem podstawiła Karolinie pod nos.

– Może troszkę pleśni?

– Przestań! – Karolina wrzasnęła, nie wiedząc, czym zaskoczona bardziej: własną reakcją czy całkowitą odmianą przyjaciółki, która ujawniła zupełnie nieznaną im do tej pory żyłkę poszukiwacza przygód.

Beata złapała ją tymczasem za palec.

– Dotknij, odważysz się?

Karolina przerażona jak nigdy wcześniej wysunęła palec i dotknęła puszystej, miękkiej powierzchni. W tej samej chwili przeszył ją dreszcz obrzydzenia, zacisnęła oczy i marzyła już tylko o tym, żeby cofnąć rękę, żeby to ohydne coś podobne do waty zniknęło.

– Nie drzyj się tak, bo ktoś tu przyjdzie! – roześmiała się Beata. – Zaliczyłaś próbę pleśni, wystarczy. – Rzuciła

51

szklankę z rozmachem w kąt pomieszczenia, szkło rozprysło się w drobny mak na betonowej podłodze, bryzgając naokoło mieszanką fusów i pleśni.

Karolina wycofała się na korytarz, pewna, że grzyb za chwilę zacznie się rozrastać i pokrywać ściany, ale nic takiego się nie stało. Na końcu korytarza dostrzegła prowizoryczne, drewniane schody bez poręczy. Postanowiła tym razem być pierwsza, ubiec koleżanki, zaczęła więc wspinać się po schodach i po chwili dotarła na piętro. Naprzeciwko niej znajdowało się wejście do pomieszczenia, które musiało być facjatką dla jakiejś przyszłej Ani z Zielonego Wzgórza, miejscem westchnień i marzeń. Wychyliła się do połowy przez dziurę w dachu przeznaczoną na okno i rozejrzała dookoła. Z dołu dobiegało szczekanie psów biegających po zaniedbanym ogródku sąsiedniego domu i warkot samochodu toczącego się leniwie uliczką. Usłyszała tupot na schodach i po chwili stały w oknie już we trzy, ale w końcu znudziło im się patrzenie na pustą ulicę, więc usiadły pod ścianą. Beata wyjęła z kieszeni swetra ołówek, jak zawsze pedantycznie zaostrzony, i pracowicie wykaligrafowała na surowych czerwonych cegłach ich inicjały wraz z datą – 20 września 1985. Przez chwilę siedziały w milczeniu, napawając się zakazaną przyjemnością przebywania w cudzym domu, do tego na budowie, gdzie walało się mnóstwo niebezpiecznych rzeczy, aż nagle ciszę przerwał donośny, lekko nosowy męski głos:

– Wlazły tam, na górę, no, mówię! Trzy dziewczynki, ładne sztuki, ta jedna z warkoczem bynajmniej...

– Zenek! – szepnęła Gośka.

Wszystkie trzy znieruchomiały pod ścianą, starając się nie zmącić ciszy nawet najmniejszym poruszeniem. Karolina słyszała łomot swojego serca, a może to były wszystkie trzy serca, zsynchronizowane jak na siostry krwi przystało?

– Panie, co pan opowiadasz, tam nikogo nie ma! – Ten drugi głos był bardziej niecierpliwy, wypowiadał słowa szybciej,

bez charakterystycznego zaśpiewu typowego dla niedoroz-
winiętych.

Karolina odważyła się wystawić czubek głowy nad para-
pet i zobaczyła w dole dwie postacie. Jedną był Zenek. Stał
oparty o stary zielony składak na maleńkich kółkach, zupełnie niepasujący do jego wysokiej, bocianiej sylwetki.

– Panie Zenku, jedź pan do domu, ludzi nie strasz! – Drugi
mężczyzna, niższy, wąsaty i mocniej zbudowany, najwyraźniej stracił cierpliwość. – No już! Mówię przecież, że żadnych
dziewczyn tam nie ma i nie było, skrzydeł nie mają, to i nie
wleciały oknem! – to mówiąc, chwycił Zenka za ramię, delikatnie odwrócił i popchnął lekko do przodu, na co tamten posłusznie wsiadł na swój dziecinny rower i popedałował w tych
swoich czarnych gumiakach, kręcąc przy tym za dużą głową
w małym, czarnym bereciku z antenką na czubku. Kiedy jego
sylwetka zniknęła już w perspektywie ulicy, jego towarzysz
odwrócił się w stronę domu i okna, za którym ukrywały się
dziewczynki, i wrzasnął:

– No już, gówniary, uciekajcie stąd! I żebym was tu więcej
nie widział, bo wam drugi raz dupy przed zboczeńcem nie
będę ratował!

Kiedy odszedł, uciekły pędem, przeskakując deski na podwórzu. Zatrzymały się dopiero na polu nad kanałkiem, padły
na zakurzone ściernisko, dysząc ciężko i śmiejąc się tak, że
w pewnej chwili nie były już pewne, czy śmieją się jeszcze,
czy już szlochają. Wiatr, coraz silniejszy, przygnał ciężkie,
ciemnofioletowe chmury, które zakryły słońce. Była najwyż-
sza pora wracać do domów, na dobranockę i odrabianie lekcji, na kolację i domowe ciasto, i na oglądanie z rodzicami
filmu na Jedynce.

– Pamiętajcie, to nasza tajemnica – przykazały sobie na
pożegnanie, zanim rozeszły się w trzy różne strony.

PAMIĘTNIK

Znalazłam awizo w skrzynce już następnego dnia po telefonie od siostry Anety. Listonosz jak zawsze nie pofatygował się nawet, żeby zadzwonić domofonem. Westchnęłam tęsknie za starym osiedlowym listonoszem w grubych okularach, panem Januszem. Pracował w rytmie „dwa papierosy, jedna klatka schodowa" i kiedy otwierałam mu drzwi do mieszkania, zawsze uderzał mnie smród przetrawionego kiepskiego tytoniu, wżarty w jego służbową kurtkę, rzadkie szpakowate włosy przycięte na jeża i zmarszczki na ogorzałej twarzy. Pan Janusz zawsze dzwonił, co cięższe paczki wnosił na piętro, wiedział, kiedy jestem w domu, a kiedy nie. Nowy – chudy, niesympatyczny gówniarz z wąsikiem *à la* Hitler, nie odpowiadał nawet na „dzień dobry", nie mówiąc już o stukaniu do drzwi. Wrzucał awizo i tyle go widzieli.

Trafiłam na osiedlową pocztę akurat w godzinach największego ruchu, po południu. Na naszej poczcie nie ma emerytek płacących drobniakami za światło, gaz i abonament telewizyjny. Są zabiegani ludzie, młodzi ludzie, jak lubią się nazywać, chociaż do większości z nas bardziej pasowałoby niepoprawne politycznie w dobie ageizmu określenie „ludzie w średnim wieku". O siedemnastej wymarłe dotąd osiedle, zaludnione przez ukraińskie sprzątaczki i źle ubrane grube opiekunki do dzieci plotkujące nad wózeczkami, zaczyna się wypełniać właściwymi mieszkańcami. Samochody zjeżdżają do podziemnych garaży w długiej kolejce, jak samoloty kołujące nad Okęciem, które o tej samej porze regularnie, co dwie minuty rozdzierają ciszę hukiem silników. Kobiety w garniturach i na szpilkach, z resztkami porannego makijażu na zmęczonych, wysuszonych klimatyzacją twarzach, mężczyźni z aktówkami z kosztownej brązowej skóry, naburmuszone dzieci odbierane z prywatnych szkół w centrum – wszyscy oni ustawiają się w kolejce na poczcie i w spożywczym, a na przystankach autobusowych gromadzą się przygarbione nianie i gosposie. Witajcie na osiedlu pracoholików.

Nie pasuję tutaj, pomyślałam, stojąc w długiej kolejce złych, zmęczonych i zapracowanych, trzymających w wymanikiurowanych dłoniach kartki z numerkami wyciągniętymi z automatu. Nie pasuję. Ja – żywcem przeniesiona z błotnistej prowincji, z osiedla nad kanałkiem do tego świata garaży podziemnych i kostki bauma równiutko ułożonej na chodnikach pomiędzy stalowymi płotami znaczącymi chronione terytoria strzeżonych osiedli.

Przede mną przy okienku stanęła kobieta, może rok czy dwa lata młodsza ode mnie – czarny garnitur, lekko nieświeży kołnierzyk białej bluzki, czarne szpilki z ostrymi czubkami, brązowe włosy z miedzianym odcieniem zwinięte w schludny kok i okulary w czarnej, grubej oprawce. Kobieta promieniująca poczuciem własnej ważności, nerwowo stukająca długim, perłowym paznokciem w blat przy okienku, mówiąca przyciszonym tonem, który niemal niezauważalnie przerodził się we wściekłe syczenie.

– Jak to, proszę pani, nie ma mojej paczki?! Ja będę reklamować, ja napiszę, ja pozwę... – Na koniec jak zawsze już pokonane, choć jeszcze buńczuczne: – Pani nie wie, kto ja jestem! – Modne obcasy zastukały gniewnie na lastrykowej podłodze z przybrudzonym logo Poczty Polskiej na środku i nagle zatrzymały się tuż koło mnie.

Zobaczyłam zdziwione brązowe oczy za okularami i wydatne usta ściągnięte w gniewny supeł nagle rozszerzające się w uśmiechu.

– Karolina?!

– Renata? – jak zawsze chwila paniki, kiedy mój mózg usiłuje przypisać twarz i głos do jakiegoś imienia w dawno zakurzonej przegródce; wreszcie jest: środkowy rząd, pierwsza ławka, buntowniczo powiewający kucyk ciemnych włosów bez iskierek miedzi. Ten połysk to pewnie farba, kosztowna farba, sądząc po naturalnym wyglądzie. Renata, która mieszkała po drugiej stronie wylotówki i dlatego z definicji była zawsze „nie nasza". Renata, która po śmierci Anety opuściła się w nauce i powtarzała ósmą klasę. Postać ze szkolnej fotografii, ostatniej, na której jesteśmy wszystkie razem, nagle przeniesiona w ściany osiedlowego urzędu pocztowego, na tle cennika i stojaków z ulotkami, robi upiorne wrażenie, jak gdyby sama Aneta wstała z grobu i postanowiła spotkać mnie właśnie tutaj, w samym środku codzienności.

– Co tu robisz? – spytał upiór, wcale nie upiorny, tylko nieludzko zmęczony pod maską makijażu, a zarazem pełny jakiejś chorobliwej energii.

Owiała mnie mieszanka drogich perfum i potu wysuszonego klimatyzacją, cukierków na zgagę połączonych z mentolowym papierosem i drinkami pitymi w samotności. Powinni ten zapach butelkować i sprzedawać, *the flavour of office work by Calvin Klein*.

– Mieszkam tu.

– Nie do wiary... ja też. Wiesz co, lecę. Spieszę się, uciekam, dam ci mój telefon, zadzwoń, spotkamy się, pogadamy... Ile lat cię nie widziałam, byłam na stażu, studia we Francji, teraz praca, a tu patrz, spotkamy się na cholernej poczcie!

Zostawiła mnie z lśniącą, białą wizytówką w ręku. Na wizytówce telefony, e-maile, angielska, dodająca powagi nazwa zupełnie zwyczajnego stanowiska. Zza wylotówki, z ceglanego domu klocka zarośniętego krzakami do wielkiej szklano--stalowej, międzynarodowej korporacji; z klasowego zdjęcia na osiedlową wykafelkowaną pocztę – przemknęła jak meteor i zostawiła mnie wytrąconą z rytmu załatwiania moich nieistotnych spraw na eleganckiej pocztowej podłodze. I dopiero po chwili, kiedy odebrałam paczkę i zorientowałam się, co w niej jest, zrozumiałam, że była znakiem – jednym z wielu znaków – że muszę ją dogonić, zadzwonić na jej maleńki służbowy telefon z klapeczką, powiedzieć jej, co się stało dziewiętnaście lat temu.

– Pani podchodzi czy odchodzi? – ktoś klepnął mnie w ramię.

Rozejrzałam się nieprzytomnie dookoła i podeszłam do okienka, za którym siedziała zniechęcona kobiecina z zastygłym na zniszczonej twarzy wyrazem złości na cały świat, w służbowym, wypranym z elegancji czy kobiecości mundurku pocztowym i z trwałą pamiętającą chyba rok, w którym zginęła Aneta. Brakowało jej tylko wściekle zielonych cieni na urzędniczych powiekach.

Paczka, którą urzędniczka przyniosła z zaplecza z westchnieniem zdradzającym nienawiść do świata, pracy, a do mnie w szczególności, okazała się przyjemnie lekka, zawinięta w kilka warstw sztywnego szarego papieru i przepisowo obwiązana sznurkiem. Ze wszystkich stron oklejały ją błękitne nalepki z napisem „priorytet" i rozmaite stemple, kwity, znaczki i napisy, jak gdyby w pogoni za mną przewędrowała pół świata, a nie odległość do pokonania w godzinę autobusem. Nazwisko nadawcy na samokopiującym, żółtym kwicie przyklejonym na wierzchu zatarło się, słabo odbite, a może rozmazane od spoconych palców czy deszczu. Stanęłam bezradnie, ważąc w dłoni paczkę i próbując odgadnąć, co może być w środku. Nie kupuję w sklepach internetowych, nie mam znajomych, którzy wysyłaliby cokolwiek pocztą. Jedyna korespondencja, jaką dostaję regularnie, to wezwania do zapłaty rachunków za telefon komórkowy, gaz, prąd, za wszystko, co trzeba płacić w określonym terminie, a poza tym reklamówki, katalogi i próbki niepotrzebnych towarów oraz smętne, nabrzmiałe pretensjami kartki świąteczne od kilku żyjących jeszcze ciotek. Reszta mojej poczty istnieje wyłącznie w komputerze. Kto mógłby wysłać mi paczkę – dużą, szarą paczkę obwiązaną sznurkiem?

– O, to ty – stwierdziła moja córka na powitanie, kiedy już udało mi się przedrzeć przez bramy, furtki otwierane na kartę elektroniczną oraz przez serię domofonów i dotrzeć do domu.

Mieszkam w nowoczesnej twierdzy, w świątyni bezpieczeństwa chronionej przez czujniki i starszego pana o wyglądzie alkoholika cierpiącego na paraliż i bezsenność jednocześnie, przymocowanego na stałe przy drzwiach wejściowych. Weronika, na wpół ogłuszona hałasem dobiegającym z telewizora, ubrana w bluzkę odsłaniającą połacie zapadniętego, białego brzucha nad paskiem dżinsów, z nastroszonymi włosami i obgryzionymi paznokciami, stała w drzwiach do swojego pokoju. Wyglądała jak koścista kopia dwunastoletniej Karoliny, dziewczynki z grzywką, która wypisywała swoje inicjały na murze opuszczonego domu. I była tak samo naburmuszona i zła.

– Miałaś być wcześniej, odprowadzić mnie na basen, a tak muszę jechać z mamą Zuzy! – wybuchnęła, jak tylko przekroczyłam próg, ale po chwili na widok pakunku, który trzymałam w rękach jak jakieś bezkształtne, poszarzałe niemowlę, oczy jej się zaświeciły. – To dla mnie?

– Nie, to dla mnie – odparłam. – Jadłaś?

– Nie.

– Zostawiłam ci mielone w lodówce...

– Mówiłam ci już, nie będę jadła niczego, co kiedyś żyło – parsknęła.

– Marchewka też żyła, wiesz? – spróbowałam obrócić wszystko w żart, ale nie udało się.

Moja ufna córeczka, która pozwalała łagodzić spory żarcikami, gdzieś odeszła, zostawiając mi w zamian wychudzoną nastolatkę o zaciętym wyrazie twarzy, którą nieporadne żarciki starej, grubej matki przyprawiały o obrzydzenie.

– Marchewkę zjadłam – burknęła i wycofała się przed telewizor, na ekranie którego miotał się dziwaczny, androginiczny nastolatek z czubem nażelowanych włosów, wrzeszcząc coś po niemiecku. Dookoła walały się książki, talerz z resztkami marchewki w zakrzepłym maślanym sosie, nadgryzione jabłko i brudne, zdjęte z nóg skarpety w kolorowe paski. Zatęskniłam za pokojem Gośki i starym grundigiem odtwarzającym poprzez szumy i trzaski piosenkę o białym smoku frunącym po niebie.

Paczkę otworzyłam dopiero, kiedy Weronika odjechała z Zuzą i jej nienagannie umalowaną matką, kobietą sukcesu, która wyglądała, jakby urodziła się i dorosła na tym nieskazitelnym osiedlu za płotem, kobietą z kostki bauma i kafelkowych posadzek. Kobietą, która wprowadzając cię do domu wysprzątanego na błysk przez ukraińską gosposię, mówi na wstępie: „Przepraszam za bałagan”. Przynajmniej jedno mnie łączy z córką – obie nienawidzimy takich Zuz i ich matek od pierwszego wejrzenia, serdecznie, z całych naszych sił. Odjechały eleganckim czerwonym samochodzikiem w stronę basenu: antypatyczna Zuza obok naburmuszonej Weroniki, w radiu z pewnością Norah Jones, a nad lusterkiem zapach jaśminowy. Kiedy zniknęły za zakrętem, odpędziłam natrętne myśli powracające zawsze, gdy wypuszczam córkę bez mojego nadzoru z domu – zginie, umrze, utopi się, dostanie ataku, wylewu, wstrząsu anafilaktycznego, złamie nogę i podstawę czaszki, widziałam ją po raz ostatni? Zamknęłam oczy i sięgnęłam do kuchennej szuflady, grając sama ze sobą w grę znaną od dzieciństwa. Jeśli na ślepo wymacam nożyczki, zanim wyłączy się czajnik, Weronika wróci do domu cała i zdrowa. Dłoń zacisnęła się na otwieraczu do puszek, na łyżce, wreszcie na wyciskarce do czosnku, czajnik szczęknął głucho, wyłączając się, w panice otworzyłam oczy i wyciągnęłam stare, sfatygowane nożyce.

Moja herbata o zapachu mandarynek, mój codzienny popołudniowy luksus, dawno wystygła, a ja nadal wpatrywałam się tępo w dziurę w grubym, szarym papierze otulającym szczelnie paczkę. Przecież od początku wiedziałam, co tam znajdę, nie mogłam być tak głupia, żeby nie wiedzieć, nie domyślać się. Mimo to nie byłam w stanie rozedrzeć papieru dalej, nie potrafiłam się zmusić, żeby dotknąć zamkniętego w burym pocztowym kokonie zeszytu – sześćdziesięciokartkowego niebieskiego zeszytu w bladofioletową, lekko rozmytą kratkę, obłożonego w kartkę z reklamą kosmetyków na trądzik wyrwaną z „Bravo" i dla pewności oklejonego dwiema warstwami przezroczystej taśmy klejącej. Pod taśmą widać było ozdobny, wykonany grubym, fioletowym flamastrem napis: „Pamiętnik".

1986: TRUE COLORS

– Mamo, co to znaczy ubek?

– Coś ty powiedziała? Matka Karoliny w pośpiechu zdejmuje kosztowną puchową kurtkę od kombinezonu narciarskiego przywiezionego przez ojca z Włoch po którejś awanturze, w ramach przeprosin lub zadośćuczynienia. A może bez powodu? Zawsze przecież przywoził z delegacji pełne walizki, po przyjeździe z dworca czy lotniska rozpakowywał je z namaszczeniem, słuchając okrzyków zachwytu – czekolada, mydło, dezodorant, szampon, kolorowe rajstopy dla Karoliny, długopis z zegarkiem elektronicznym dla Jacka, kasety, flamastry, cały mały Pewex na kuchennym stole. Kurtka, jasnoróżowa z ciemnym fioletowym pasem na plecach, teraz jest przyprószona świeżym śniegiem, który topi się i skapuje kropelkami na zielone kafle posadzki w przedpokoju. Matka potrząsa rudą trwałą – włosy skręciły się jej jeszcze bardziej pod wpływem wilgoci, mokre miedziane sprężynki opadają na czoło i uszy – wysupłuje się ze zwojów olbrzymiej chusty haftowanej srebrną nicią, siada na ławie, żeby zdjąć długie, zamszowe botki, teraz też mokre, z białymi zaciekami od błotno-solnej brei na chodnikach.

– Gdzieś ty to usłyszała? – pyta głosem zdziwionym, ale jeszcze roztargnionym, jak gdyby myślami była wciąż w biurze, gdzie w pokoju ze ścianami obitymi drewnopodobną okładziną pracowicie wystukuje na maszynie oferty, listy, zaproszenia.

– Babcia tak powiedziała na tatę – szepcze Karolina wprost w ucho matki schowane za wilgotnymi włosami, w ucho pachnące perfumami Opium, z którego zwisa kolczyk ze sztucznego złota. Matka nie ma alergii, może nosić sztuczne złoto i biały metal i korzysta z tego. Jej szuflady pełne są fantazyjnych kolczyków z piórkami, dżetami, wielkich kół i zwisających wisiorów, podczas gdy Karolina może wkładać tylko czyste srebro (ma szlachetną krew, jak mówi jej ciotka), inaczej jej uszy puchną, swędzą i pokrywają się drobnymi czerwonymi krosteczkami podchodzącymi wodą, tak jak reszta jej pulchnego, bezkształtnego trzynastoletniego ciała. Szlachetna krew Karoliny buntuje się przeciwko mydłu i szamponowi, przeciwko pomidorom z ogródka, a nawet przeciwko rajstopom – na znak protestu skóra Karoliny czerwienieje, puchnie, swędzi, przypomina grudkowatą skórę pomarańczy, dlatego też kolczyki z wisiorami zarezerwowane są dla matki.

Matka wzdycha ciężko, ale nie zdąży nic odpowiedzieć, bo oto w przedpokoju jest już ojciec: wysoki, zwalisty, zabawnie bezbronny bez zbroi szarego garnituru i krawata. Przez rozcięcie granatowej koszulki polo widać czarno-siwe włosy na jego piersi, takie same pokrywają mocne ręce i niezgrabne dłonie o krótkich, grubych palcach. Dłonie, które potrafią zasadzić drzewo i zrywać gruszki, ale nie umieją sprostać takim zadaniom jak zapięcie guzika dziewczęcej bluzki.

– Mam za grube palce – śmieje się zawsze ojciec w takich przypadkach i obejmuje Karolinę mocno tymi niezdarnymi rękami.

Ojciec jest przystanią i wyrocznią, a dziwne, niezrozumiałe słowo ubek przydaje mu jeszcze nimbu tajemniczości. „Być może ubek to nawet więcej niż marynarz, więcej niż kapitan statku", marzy Karolina, patrząc w zielonoszare oczy ojca. Może jest on królem i pokonałby tajemniczego ojca Beaty w pojedynku na szable, a może jest tajnym agentem albo kosmonautą, wszystkim tym, czym nie miał szans być, kiedy określało go proste, przyziemne „zastępca dyrektora naczelnego". Karolina patrzy na matkę, ale jej twarz jest zamknięta, ściągnięta w grymas powitalnego uśmiechu. Odpowiedzi nie będzie, nie teraz. Może którejś nocy, kiedy matka po powrocie od znajomych siądzie na jej łóżku z twarzą mokrą od łez albo alkoholu i wtedy, myśląc, że córka śpi, wyszepcze jej odpowiedź do ucha. Na razie jednak Karolina musi zostać sama z tajemnicą.

– Halina, spóźniłaś się – mówi ojciec.

Matka opowiada o czekaniu na autobus przy Czterech Śpiących, o śniegu i błocie. Ojciec kiwa głową, nastawia kuchenny piekarnik.

– Dzieci, za kwadrans kolacja! – krzyczy w stronę dziecinnych pokoików.

Karolina wykorzystuje ten kwadrans, żeby podkręcić głośniej stojące na parapecie radio, czarnego grundiga, takiego samego jak mają wszyscy w klasie – poza Beatą. Ona ma nowiutki japoński dwukasetowy radiomagnetofon, na którym popołudniami przegrywają sobie kasety. Z czarnego pudełka dobiega głęboki głos Arethy Franklin *Sisters Are Doin' It for Themselves*. Szkolny angielski Karoliny nie pozwala na dokładne zrozumienie, ale porywa ją rytm, a potem łagodny głos Marka Niedźwieckiego zapowiadającego kolejną *Listę przebojów*. Wyciąga zeszyt, w którym starannie zapisuje notowania, obwodząc kolorowymi kółeczkami tytuły piosenek, które jej się podobają, po czym sięga głębiej do szafki i natrafia na czysty zeszyt w kratkę, sześćdziesięciokartkowy brulion w brudnoniebieskiej okładce. Powodowana impulsem otwiera go i zapisuje na pierwszej stronie równiutkim pismem dobrej uczennicy:

Drogi Pamiętniku, to ja, Karolina. Dzisiaj jest ważny dzień, bo dowiedziałam się czegoś nowego o moim Tatusiu, ale niestety nie wiem, co to znaczy. Mama nie chce odpowiadać na moje pytania, bo boi się, że Tata znowu na nią nakrzyczy. Może Babcia mi odpowie, co znaczy słowo, którym nazwała Tatusia.

– Karolina, przestań gryzmolić, kolacja! – Ojciec zdecydowanym krokiem wchodzi do pokoju i wyłącza czarne radyjko. Jest akurat tyle czasu, żeby szybko zamknąć niebieski zeszyt i wrzucić go do szuflady, pod inne szkolne bruliony.

– Ty naprawdę nie wiesz, co to znaczy? – Nowa podjeżdża od tyłu, zamaszyście hamuje, wbijając czubek łyżwy w lód, aż tryska pióropusz drobniutkich kryształków.

Karolina chwieje się na nogach. Dopiero co nauczyła się jeździć na łyżwach na zamarzniętej kałuży przed domem, ale z całych sił próbuje tego po sobie nie pokazać. Chce wyglądać na pewną siebie weterankę, chociaż dobrze wie, że nic z tego, że w końcu na oczach wszystkich wyląduje na lodzie, obijając sobie pupę. To tylko kwestia czasu. „Byleby nie spotkać teraz Tomka", myśli w panice, Tomek jeździ na hokejówkach, trzyma za ręce swoich dwóch przyjaciół w identycznych czarnych skórzanych kurtkach i identycznych białych golfach pod tymi kurtkami. Jadą szeroką tyralierą, rozpędzając maluchy i dziewczyny na boki. Na szczęście Tomka nie ma w pobliżu. Jeżeli wydarzy się nieszczęście, to jedynym świadkiem upokorzenia będzie ta nowa w paskudnej, szarej włóczkowej czapce i przykrótkiej kurtce z czerwonego ortalionu.

Nowa jest chuda jak patyk i zaskakująco wysoka. Szare włosy splata w warkocz, ale nie warkocz błyszczący i schludny jak złocisty wąż spływający po plecach Beaty, raczej w cienką parodię warkocza, z której na wszystkie strony wystają niechlujne kosmyki. Teraz patrzy na Karolinę przez lekko zaparowane od ciepłego oddechu szkła grubych okularów, trochę z rozbawieniem, a trochę badawczo, jak gdyby zastanawiała się, czy tamta żartuje, czy naprawdę zadała takie pytanie koleżankom.

– Nie wiem, co w tym złego? – Karolina decyduje się na atak, najlepszą formę obrony przed tym spojrzeniem zza okularów. – Jakbym wiedziała, to po co miałabym pytać? Jednocześnie zastanawia się gorączkowo, jak też ta nowa ma na imię. Pamięta nazwisko: Wrona, nazwa głupiego, brzydkiego ptaka, powód do drwin i przezwisko samo w sobie, zaskakująco dobrze oddające ponury, ptasi wygląd dziewczyny. Nikt nie zwraca się do nowej inaczej jak po nazwisku, chociaż obiegowa szkolna mądrość głosi, że po nazwisku jak po pysku. Bezimienna Wrona uśmiecha się i ten uśmiech dziwnie zmienia jej trójkątną buzię z czerwonym nosem.

– No jasne, racja – mówi. – Ja wiem, co to znaczy. Ubek to zły człowiek. Przez takich mój wujek był w szpitalu, a teraz nie ma pracy. Ubek bije ludzi i przesłuchuje ich, aż przyznają się do wszystkiego, co chce... – urywa nagle, widząc rozszerzone przerażeniem oczy Karoliny. – Nie martw się – dodaje, otaczając Karolinę ramieniem. Musi się schylić, żeby to zrobić, i wygląda przy tym komicznie: chude, sine z zimna nadgarstki pomiędzy ściągaczami czerwonej kurtki a szarymi rękawiczkami z tej samej włóczki co czapka. – Nie martw się, twój tata nie jest złym człowiekiem. Twoja babcia na pewno tylko tak mówiła, żeby zrobić mu przykrość.

– Dzięki – odpowiada Karolina, wściekła na łzy, które płyną jej po szczypiących od mrozu policzkach. – Dzięki... eee... – nazwisko-przezwisko nie chce jej przejść przez gardło. Nie mówi się do kogoś, kto właśnie wyjaśnia i pociesza, po nazwisku.

– Aneta – odpowiada nowa i odjeżdża z wprawą.

Kręci zamaszyste koła na lodowej tafli w rytm przeboju Modern Talking dobiegającego z głośników, podczas gdy

Karolina powoli rozsznurowuje łyżwy i zamienia je na skajowe kozaczki w kolorze sraczkowatym, ostatni krzyk mody w Domach Towarowych „Centrum".

Od tego dnia Karolina inaczej patrzy na ojca. Jego zwalista postać, siwiejące włosy i mięsiste uszy, krótkie, grube palce, uśmiech, jasne oczy, które w książce określono by pewnie jako stalowoniebieskie – to wszystko w jej wyobraźni łączy się z obrazkami znanymi z seriali i filmów wojennych: pusty pokój, którego jedynym umeblowaniem jest biurko z lampą, skulony więzień mrużący oczy przed jaskrawym światłem żarówki, okrutny przesłuchujący, który ze spokojem miażdży palce więźnia w imadle. Karolina nie może spać. Budzi się z krzykiem w noce tak mroźne, że na szybach pokoiku malują się białe kwiaty i wzory.

Tej zimy na dwa tygodnie zamykają szkołę, bo mróz przekracza 30 stopni, a Karolina z wypiekami na twarzy czyta Centkiewiczów i co jakiś czas, by poczuć na własnej skórze to, co bohaterowie książek, otwiera okno na oścież i wystawia twarz na ukąszenia zimnego powietrza. Zamyka oczy i jest Fridtjöfem Nansenem w drodze do bieguna północnego, jest Amundsenem zjadającym ostatnie psy pociągowe, dryfuje na krze... do czasu aż któreś z rodziców wpada do pokoju i z trzaskiem zamyka okno.

– Czyś ty zwariowała, dziewczyno, chcesz mieć zapalenie płuc? – krzyczy ojciec pewnego popołudnia, a Karolina po jego wyjściu szepcze pod nosem zakazane słowo:

– Wstrętny, stary ubek!

Drzwi, już przymknięte, otwierają się z rozmachem. Ojciec stoi w progu, jest jeszcze w garniturze. Dopiero co wrócił z pracy i przenikliwe zimno zwabiło go najpierw do pokoju córki. Wygląda groźnie, twarz ma czerwoną, nie wiadomo – od mrozu czy od gniewu.

– Coś ty powiedziała? – pyta.

– Nic – szepcze Karolina i kuli się na łóżku.

Po raz pierwszy w życiu naprawdę boi się własnego ojca, ale ten duży, groźny mężczyzna siada obok niej i pyta już spokojnym głosem:

– Skąd znasz takie słowa?

– Od... od nowej! – wypala Karolina w nadziei, że to zakończy rozmowę, ale ojciec nie ustępuje:

– A wiesz chociaż, co to znaczy?

– Chyba...

– Dobrze – ojciec prostuje się powoli, wstaje z łóżka. Kiedy stoi wyprostowany, mógłby bez trudu dotknąć sufitu w tym miniaturowym domku, który wygląda jak mieszkanie wycięte z bloku i postawione na trawie. – Porozmawiamy o tym, kiedy dorośniesz, a na razie proszę cię, dziecko, nie używaj słów, których do końca nie rozumiesz.

Beata płacze, wtulona w różową pościel w swoim pokoiku na poddaszu. Z plakatu przyklejonego do ściany surowo patrzy na nią Limahl z nastroszonymi platynowymi włosami. Beata płacze tak długo, aż wydaje jej się, że nie ma już łez, że jej oczy są jak czerwone balony z gumy do żucia, napięte do granic, piekące i suche. Z dołu przez ściany i sufit dobiegają odgłosy jakiegoś filmu z telewizji, krzątanina babci i jej wysoki, modulowany głos, głos niedoszłej śpiewaczki. Co jakiś czas przerywa jej matka, za cicho, żeby cokolwiek zrozumieć. Do pokoju Beaty dobiega tylko monotonny szmer jej głosu. Zresztą o tej porze matka mówi już tak niewyraźnie, że nawet z bliskiej odległości trudno ją zrozumieć; rozciąga samogłoski i zamazuje końcówki wyrazów, jak gdyby złoty strumień whisky rozmył i spłukał jej struny głosowe, odbierając głos. Po chwili zapada cisza i najwidoczniej ktoś w tej ciszy dosłyszał spazmatyczny szloch dziewczynki na piętrze, bo skrzypią schody i słychać czyjeś kroki. Beata zamiera, zdecydowana udawać sen, jeśli to matka nachyli się nad łóżkiem, owiewając je chmurą alkoholowego oddechu i wypuszczając z siebie strumienie rozlanych samogłosek. Jednak kiedy drzwi się otwierają, stoi w nich babcia – nienaganny kok z ufarbowanych na złoto zagraniczną farbą włosów, lakier na paznokciach, szminka i zapach staroświeckich perfum. Babcia siada na łóżku, pedantycznie przytrzymując spódnicę, żeby jej nie pognieść, i suchą, miękką dłonią dotyka głowy wnuczki.

– Coś się stało? – pyta.

Nie umie się zdobyć na więcej czułości. Jest damą, nie babcią od robienia na drutach i pieczenia ciasta, od całowania zdartych kolan i przykładania surowego mięsa na guzy, ale chce pomóc na swój sztywny sposób. Beata jakoś zdaje sobie z tego sprawę i to wyzwala jeszcze jeden atak płaczu, choć przed chwilą była pewna, że wylała już wszystkie łzy.

– Ubek... – szlocha. – Powiedziała, że nie chce takiego ojca, powiedziała, że chciałaby mieć ojca marynarza jak ja, dobrego człowieka, i że mi zazdrości!

– Powiedziałaś koleżankom, że tata jest marynarzem? – pyta babcia i mimo starań w jej głosie słychać nutkę dezaprobaty. – Skłamałaś? Dlaczego?

– Co miałam powiedzieć? Że nie żyje?

– Choćby i to... – babcia kiwa delikatnie głową i wstaje. Wyczerpała już swoje rezerwy czułości, nie potrafi ofiarować więcej, chyba że wyświechtane pocieszenie, przysłowie, obiegową bzdurę ubraną w szacowne szaty mądrości. – Śpij – mówi więc, okrywając wnuczkę kołdrą. – Ranek jest mądrzejszy niż wieczór. A kłamstwo ma krótkie nogi, pamiętaj o tym.

Z tymi słowami wychodzi z pokoiku na poddaszu, zamykając za sobą starannie drzwi z żółtą szybą z mrożonego szkła w kwiatowe wzory. Szelest jej spódnicy i odgłosy kroków na schodach cichną pomału, aż wreszcie nikną, zagłuszone kaszlem dziadka.

WIZJA LOKALNA

Kościół. Prosty, brązowy budynek z mizerną wieżą zwień-
czoną niewielkim krzyżem, pomalowany wewnątrz na bia-
ło, z rzędami prostych sosnowych ławek i jednym witrażem
przedstawiającym patrona – pewnie autorstwa miejscowego
artysty, bo nieporadny, przygarbiony święty wygląda trochę
jak z rysunku dziecka. Przed kościołem dziedziniec, porośnięty trawą, wszystko to ogrodzone płotem ze stalowych prętów. Jeden z tych kościołów budowanych w latach osiemdziesiątych na miejscu lokalnych kaplic, ale niebogaty. A może
proboszcz nie miał charyzmy potrzebnej do przeprowadzenia
zbiórki i postawienia wielkiej, betonowej świątyni przypominającej łódź podwodną wyrzuconą na brzeg, o surowych, dzi-
wacznych kształtach i z nowoczesnymi witrażami? Ot, wiejski kościółek, tak skromny jak otaczające go domki, trudny
do zauważenia dla niewtajemniczonych.

Kiedy byłam dzieckiem, przez długie lata po sprowadze-
niu się na Leśne nie miałam pojęcia o jego istnieniu. Ukry-
ty w gąszczu uliczek odchodzących od pętli, zabudowanych
drewnianymi i murowanymi domkami, w biedniejszej części osiedla, gdzie mieszkały te wszystkie brudne, zawszone
albo po prostu ubogie dzieci, z którymi nikt się nie przyjaźnił

oprócz im podobnych, zamaskowany przed wzrokiem niepowołanych, ujawniał się oczom przechodnia dopiero po minięciu ostatniego zakrętu błotnistej dróżki. A jednak to tu biło serce osiedla. W tym miejscu co niedziela zbiegały się drobne strumyczki odświętnie ubranych mieszkańców Nowego i Starego Leśnego, pamiętającego jeszcze czasy, kiedy było wsią z dala od metropolii, która później wchłonęła je i obudowała drogami, pętlami autobusów i domkami z cegły i betonu.

Wtedy kościół kojarzył mi się wyłącznie z brudnożółtą, strzelistą bryłą przy placu Zbawiciela, z miejscem pachnącym kadzidłem, gdzie zwielokrotnione echo odbijało każdy szept i odgłos kroków. Chodziłam tam z moją miejską babcią na niezliczone msze w intencji wszystkich możliwych zmarłych z rodziny. Babcia trzymała moją dłoń mocno w swojej – suchej i mocnej jak wiązka żelaznych prętów obciągniętych wiotką jak papier skórą. Babcia pachniała wodą kolońską 4711, a jej olbrzymie bladoniebieskie oczy w zapadniętej, suchotniczej twarzy podkreślone były czarnym tuszem do rzęs. Po mszy cała nasza rodzina spotykała się w babcinym mieszkaniu na ósmym piętrze. Patrząc przez okno, miało się wrażenie, że można dotknąć smukłych wież kościoła Zbawiciela. Kościół, jego cisza i zapach zimnego kamienia kojarzyły mi się wyłącznie ze śmiercią tajemniczych członków rodziny o egzotycznych imionach: praprababka Waleria, wuj Dzidek... Wyobrażałam ich sobie jako uroczyste szkielety w ubraniach jak z dziewiętnastowiecznych fotografii, z resztkami zetlałych włosów pod cylindrami i koronkowymi czepkami, z palcami tak suchymi jak palce mojej babci. W Wielkanoc chodziliśmy na groby i ze święconką całą rodziną oprócz ojca, który w Wielki Piątek demonstracyjnie zjadał jajecznicę na boczku i kanapki z deficytową szynką, a nasze wyprawy nazywał szamaństwem.

Nie wiem dlaczego, kiedy przyjechałam na Leśne, pierwsze kroki z pętli autobusowej skierowałam do kościoła. Gdy autobus zatrzymał się z charakterystycznym sapnięciem, po którym nastąpiła nagła cisza, wyjęłam z uszu słuchawki odtwarzacza mp3, w których jeszcze przed chwilą zespół Nickelback śpiewał o fotografii klasowej sprzed lat. Omen? Tak, wierzę w omeny, choć nie umiem zmusić się, by uwierzyć w jakiegokolwiek boga – nawet tego, który podobno nas kocha niezależnie od tego, czy grzeszymy myślą, mową, uczynkiem czy zaniedbaniem.

W to wczesnozimowe przedpołudnie autobus był niemal pusty: dzieci w szkole, studenci na zajęciach, staruszkowie w drodze na drugą stronę, do miasta z jego szpitalami, przychodniami, promocjami w biedronkach i realach. Kiedy wysiadłam, owionęło mnie mroźne powietrze zapowiadające śnieg. Odwieczna kałuża przy wiacie przystankowej pokryła się szklistą warstewką świeżego lodu i nie mogłam się powstrzymać, żeby, jak kiedyś, nie nastąpić na nią z całej siły zimowym butem, by usłyszeć ten charakterystyczny, cichutki trzask pękającej zamrożonej błonki. Gruba baba w pikowanym ortalionowym płaszczu popatrzyła na mnie z dezaprobatą, kiedy grzebałam w kałuży czubkiem brązowego kozaczka za równowartość średniej emerytury. Baba życzyła mi nagłej śmierci, a przynajmniej przemoczenia nóg, co oczywiście się stało. Lodowata woda wdarła się w delikatne szwy i dosięgła moich plebejskich bawełnianych skarpet kupowanych w pięciopakach w dziale dziecięcym.

Ruszyłam dalej, starając się nie zwracać uwagi na zimną wilgoć w skarpecie. Wszystkie zmiany, których nie zauważyłam przy ostatnim spotkaniu z dziewczynami, teraz rzuciły mi się w oczy ze zdwojoną siłą: nowa szaro-czerwona kostka tworząca doskonale anonimowy, pusty chodnik przy ulicy, czerwona warszawska wiata przystankowa z eleganckim rozkładem jazdy, dom, który wyrósł tuż przy pętli jak pokraczny grzyb, podobny do dworku, ale rażący nowością. Zastanawiałam się przez chwilę, jak by to było mieszkać w budynku z bramą wychodzącą wprost na przystanek, budzić się co rano z pierwszym odjazdem autobusu o godzinie 5.12 i zasypiać w rytm copółgodzinnych przyjazdów nocnego. Dom był obcy, minęłam go i ruszyłam nowiutkim chodnikiem w stronę Starego Leśnego. Minęłam chylącą się od zawsze ku upadkowi ceglaną ruderę, w której niegdyś gnieździły się niezliczone pokolenia Marciniaków, rodziny płodnej jak podwórzowe koty, posyłającej co roku dwoje lub troje głodnych i zawszonych dzieciaków do naszej szkoły. Okna zabite dyktą i złowroga cisza na podwórzu zdradzały, że starsi Marciniakowie wymarli prawdopodobnie z przepicia, a młodsi rozpełzli się po poprawczakach, więzieniach i ławeczkach pod sklepami z alkoholem. Może dwoje czy troje wyjechało gdzieś do zielonej Irlandii dźwigać pudła w tamtejszym Tesco i zamieniło tanie wino na taniego guinnessa.

Przeszłam przez ulicę i dotarłam do serca tego miejsca, do którego rozwalający się dom był tylko bramą. Tych uliczek nie tknęła kostka bauma ani asfalt, pozostawały od kilkunastu lat takie same: latem pełne sypkiego, drobnego kurzu, jesienią błotniste. W parterowym drewniaku na rogu mieszkał kiedyś drobny, złotowłosy Arek, który w ósmej klasie głośno chlubił się przed chłopakami: „Wyruchałem ją, ja pierdolę, dała mi się wyruchać!". Dziewięć miesięcy później był już przygaszonym, przymusowo ożenionym ojcem bliźniaków i mężem większej od niego o głowę i kilkadziesiąt kilogramów, lekko opóźnionej dziewczyny z tłustymi strąkami żółtych włosów, która w osiedlowym blaszaku sprzedawała mięso, a gdy mięsa nie było, wyłożone zamiast niego szklanki i rajstopy. Na podwórku drewniaka, pomiędzy zdezelowanym polonezem a taczkami i zwojami siatki ogrodzeniowej, krzątała się wielka, bezzębna baba o twarzy niepozwalającej określić jej wieku. Baba mimo mrozu rozwieszała pranie na sznurach biegnących od niebezpiecznie przechylonego balkonu ozdobionego wielką anteną cyfry do rachitycznego orzecha w kącie podwórka. Rytmicznie wypinała gruby zad, schylając się po kolejne sztuki bielizny do miski, aż wreszcie rozdarła się na cały głos: „Arek! Areeek! Rusz dupę, pomóż mi tu!". Uciekłam czym prędzej, żeby nie stanąć twarzą w twarz z dawnym kolegą z klasy. Nie miałam ochoty na kolejne upiory. Po chwili znalazłam się przy bramie kościoła.

Zawsze, kiedy wchodzę do kościoła, czekam na ten cud, który podobno zdarza się innym – na odczucie obecności kogoś jeszcze. Kogoś, kto patrzy z góry na nas, maluczkich, pochylonych nad naszymi sprawami, miskami z praniem i artykułami do napisania; patrzy z miłością, jak matka na raczkujące dziecko. Jednak odczułam jedynie ciszę i ciepło, lekko zwietrzały zapach kadzidła i odór niewypranej kurtki ze szmateksu bijący od starszej kobiety modlącej się pod obrazem z wizerunkiem świętego. Kobieta przesuwała w palcach paciorki różańca i poruszała bezgłośnie ustami. Było w jej twarzy coś znajomego, ale nie umiałam tego skojarzyć z konkretną postacią. Mogła być równie dobrze emerytowaną nauczycielką z naszej szkoły, jak i sąsiadką, czyjąś matką, ciocią albo sklepową z blaszaka. Wpatrywała się w obraz zaczerwienionymi, lekko łzawiącymi oczami, zatopiona w modlitwie. Pozazdrościłam jej – spokoju i poczucia, że naprawdę z kimś rozmawia, z kimś nieobecnym, kto wie o niej wszystko, a mimo to ją kocha. Pozazdrościłam jej wiary, nieważne, o co się modliła: o dobrą śmierć dla schorowanej matki, o trzeźwość dla męża pijaka, o zasiłek dla bezrobotnej córki, a może przepraszała za jakiś głęboko skrywany grzech. Usiadłam w ławce i pozwoliłam myślom wędrować, jednocześnie zaś obserwowałam kobietę spod półprzymkniętych powiek. Tak jak ona modliła się Gośka. Tak też, cicho i spokojnie, modliła się matka Anety na pogrzebie, przerywając tylko na chwilę, żeby obetrzeć ogromną białą chustką łzy spływające dwiema strugami w czerwonych, wyżłobionych płaczem rowkach wędrujących od oczu do kącików ust. Pogrzeb Anety odbył się w tym kościele, tak jak pogrzeb naszego kolegi przejechanego przez mercedesa na wylotówce, jak wszystkie pogrzeby babć i dziadków moich koleżanek. Jak pogrzeb ojca Gośki, który po wylewie trzy lata leżał sparaliżowany, czekając na wyzwolenie, które dał mu drugi wylew. Jak pogrzeb dziadka Beaty, który umarł w pół zdania, podnosząc fajkę do ust.

Pochowaliśmy naszą koleżankę dwa tygodnie po tym, jak do naszej klasy wkroczył wychowawca z zasępioną miną.

1988: HAZY SHADE OF WINTER

Janusz Szczurkowski, przez uczniów zwany, w sposób oczywisty i przekazywany z klasy na klasę, Szczurem (nie dlatego żeby uczniowie nie byli kreatywni w obmyślaniu przezwisk, ale dlatego, że nazwisko i twarz nauczyciela łączyły się w harmonijną całość, uniemożliwiającą nadanie mu jakiegokolwiek innego przezwiska), wkroczył do klasy ósmej B. Miał mieć lekcję fizyki, ale jego myśli wydawały się krążyć daleko od zadań na obliczanie pracy i siły. Kiedy Karolina patrzyła na jego przygarbioną sylwetkę, na pociągłą twarz z długim, cienkim nosem pomiędzy fałdami obwisłych policzków i na czoło okolone wianuszkiem siwiejących włosów, zawsze miała wrażenie, że patrzy na człowieka w jakiś sposób przegranego, choć przecież Szczur jako nauczyciel fizyki, ojciec trzech prawie dorosłych synów i właściciel całkiem nowego, zielonego wartburga, wcale porażki nie uosabiał. Niedługo po odejściu ich klasy ze szkoły miał zostać wybrany jej dyrektorem i sprawować tę funkcję przez prawie piętnaście lat, w ten sam cichy i zrezygnowany sposób, w jaki prowadził lekcje fizyki i godziny wychowawcze.

Szczur mieszkał na Bródnie, co w uczniach, zawieszonych niepewnie pomiędzy miastem a wsią, budziło sprzeczne uczucia: zawiść, bo Bródno było bezsprzecznie prawdziwą częścią Warszawy, a nie doklejoną na siłę wsią jak Leśne, i litość na myśl o jego czterdziestometrowej klitce na dziewiątym piętrze bloku z wielkiej płyty, w której zamykało się całe jego pozaszkolne życie. Co jakiś czas wychowawca przychodził na lekcję z podkrążonymi, czerwonymi oczami i wtedy wiadomo było, że całą noc, z kawą w termosie i klasówkami do sprawdzenia, dyżurował w budce na społecznym parkingu pod blokiem, pilnując przed złodziejami należących do blokowych sąsiadów wartburgów, syrenek i dużych fiatów, które spały spokojnie pod plandekami. Ci, którzy mieli polonezy i zachodnie samochody, trzymali je gdzie indziej, nie igrając z losem, tak więc pan Janusz całe noce pilnował rdzewiejących komunistycznych pojazdów, których nikt, nawet poproszony, nie zechciałby ukraść. Tym razem jednak wodnistoniebieskie oczy Szczura w otoczce prawie niewidocznych rzęs wyglądały na bardziej zmęczone niż zwykle.

Nauczyciel postawił teczkę na biurku, jak zawsze pedantycznie, następnie podniósł głowę i powiedział, patrząc gdzieś w przestrzeń nad głowami uczniów:

– Proszę, zamknijcie podręczniki. Zamiast fizyki zrobimy sobie dzisiaj godzinę wychowawczą. Mam dla was bardzo smutną wiadomość.

To ostatnie zdanie ucięło radosny rozgardiasz powstały na wieść, że nie będzie fizyki. Klasa patrzyła z zaciekawieniem na nauczyciela, który ciągnął:

– Wczoraj zaginęła wasza koleżanka, Aneta Wrona. Nie wróciła na noc do domu. Musimy o tym porozmawiać.

Spojrzenie Karoliny powędrowało w bok, do trzeciej ławki pod oknem. Renata siedziała sama, wyprostowana i zagapiona w wychowawcę rozszerzonymi brązowymi oczami. Miejsce Anety było puste. I chociaż do tej pory wydawało się zwyczajnym pustym krzesłem czekającym, aż siedząca tam uczennica przyjdzie spóźniona, dysząc: „Przepraszam za spóźnienie", to teraz, po komunikacie, jaki usłyszeli, pustka stała się dojmująca, jak gdyby drewniane, pomazane długopisem krzesło było obszarem zimnej próżni wsysającym wszystko dookoła. Karolina czym prędzej odwróciła wzrok, bo Renata już garbiła się i czerwieniała pod naciskiem spojrzeń trzydziestu dwóch par oczu. I wtedy wychowawca znowu się odezwał:

– Nie muszę wam chyba mówić, że mama waszej koleżanki, pani Wrona, szaleje z rozpaczy. Nie wiemy, co się mogło zdarzyć, dlatego będę musiał was spytać o kilka rzeczy. Jeżeli cokolwiek wiecie, proszę, nie ukrywajcie tego...

Beata lekko uszczypnęła Karolinę w ramię. Siedziały w niewygodnej, trzyosobowej ławce w pracowni fizycznej, ściśnięte do granic z powodu tuszy Gośki, która zajmowała o wiele więcej miejsca niż inne piętnastolatki, nawet skulona pod ścianą na zbyt małym krzesełku.

– Wrona uciekła po wczorajszym? – wyszeptała Beata z uśmiechem kogoś, kto zrobił doskonały kawał.

– Może przesadziłyśmy – odszepnęła jej Karolina. – Może wystarczyło z nią porozmawiać, nastraszyć...

– No to ją nastraszyłyśmy. Co się czepiasz, teraz będziesz tchórzyć? – Beata zmrużyła umalowane oczy. – Też tam byłaś i nie muszę przypominać, kto przyniósł polaroid babci? „Babciu, pożycz aparat, muszę fotografować kwiaty na biologię". Ha, ha – przedrzeźniała lekko nosowy głos Karoliny. – Całkiem ładnie mi się ten kwiatek sfotografował, nie sądzisz?

Beata uchyliła okładkę książki do fizyki, błysnął kwadracik zdjęcia, zbyt daleko, by Karolina mogła dostrzec szczegóły, mimo że miała okulary. Zobaczyła jednak co innego – łzy wzbierające w wielkich oczach Gosi, która nerwowo gryzła kosmyk kręconych, ciemnych włosów.

– Przesadziłyśmy – powiedziała Gośka, kiedy już wyszły na podwórko.

Był jeden z tych marcowych dni, kiedy wydaje się, że wiosna nadeszła na dobre, chociaż nadal w każdej chwili może spaść śnieg. Jednak tego dnia boisko szkolne pachniało mokrą ziemią i pędami młodych roślin przebijającymi się przez grudy błota wokół bieżni. Wierzba płacząca rosnąca pomiędzy wybrukowanym dziedzińcem (służącym jako parking dla nauczycieli i miejsce gry w gumę i klasy) a boiskiem pokryła się widoczną na tle niebieskiego, jakby umytego nieba, koronką zielonych pączków. Wydawało się nieprawdopodobne, że w taki dzień ktoś mógł zaginąć, uciec z domu czy zrobić coś złego. Karolina wyobraziła sobie, że wczorajsze popołudnie, przewrócony rower i krzyk dobiegający z krzaków za boiskiem były tylko złym snem. Rzeczywistość natomiast pachniała wiosną, ziemią i wodą.

Krystian stał oparty o drzewo na samym końcu boiska, za bramką i piaskownicą do skoków w dal. Na widok nadchodzących uczennic schował prawą rękę za plecami, ale zdradziła go chmura szarego dymu unoszącego się powoli w jasnym wiosennym powietrzu. Karolina wciągnęła zapach w nozdrza – był przyjemny, nie przypominał w niczym smrodu carmenów i stołecznych palonych przez babcię, bardziej już czerwone marlboro rodziców przywożone z Niemiec i kupowane w Peweksach. Zapach stawał się coraz bardziej intensywny, a kiedy podeszły blisko, zmieszał się z zapachem dezodorantu i wody po goleniu. Chłopak odrzucił do tyłu długie włosy i spojrzał na dziewczyny z wysokości swoich 180 centymetrów, starannie omijając wzrokiem Gośkę, która już w wieku piętnastu lat zachowywała się jak stateczna mężatka wierna swojemu Tomkowi z równoległej klasy do grobowej deski. Gośka chyba jako jedyna w klasie była odporna na urok tego długowłosego, zbuntowanego chłopaka w dziurawych dżinsach. On odpłacał jej kompletnym brakiem zainteresowania. Nadmiar zainteresowania – spojrzenie i coś na kształt uśmiechu – dostała natomiast Beata, zalotna, umalowana i pachnąca duszącymi perfumami matki, które Karolina natychmiast rozpoznała jako Evasion.

– Wagarujesz? – spytała Beata, trzepocząc zalotnie rzęsami.

Karolina po raz nie wiadomo który zapragnęła być Beatą, dostać od życia cały ten wdzięk, smukłość i możliwość trzepotania rzęsami bez natychmiastowego komentarza złośliwego wewnętrznego głosu: „Nie zachowuj się jak głupia!".

– No, wagaruję. Zaspałem po wczorajszym – spojrzał znacząco na Beatę.

Karolina zapragnęła zniknąć. Albo przynajmniej nie słyszeć tego, co zaraz zostanie powiedziane. Beata nie dała jej na to szansy.

– Świętowaliśmy trochę po udanej bitwie – zaszczebiotała. – Winko, świece i my.

– Chyba trochę przesadziliście? – Karolina postanowiła pokonać nieśmiałość i zwróciła się wprost do kolegi: – Wiesz, co się stało? Aneta zaginęła wczoraj w nocy.

– Aneta? – zamrugał lekko nieobecnymi niebieskimi oczami.

Kilka lat później Karolina z łatwością doszłaby do wniosku, że wcześniej palił coś więcej niż zagraniczne papierosy, ale wtedy była jeszcze niewinna, a słowo „narkotyki" kojarzyło jej się ze zdjęciami wychudzonych narkomanów koczujących na dworcu i gotujących kompot z maku na brudnych melinach.

– A, Wronę masz na myśli? Wstydzi się pewnie... Wróci, laski zawsze wracają – stwierdził Krystian i po raz ostatni zaciągnął się dobrym papierosem.

Wyrzucił i rozdeptał niedopałek w sposób zdradzający wprawę doświadczonego palacza. Ponownie potrząsnął blond włosami tylko po to, żeby szybko zebrać je w kitkę z tyłu, wziął Beatę pod rękę i we dwoje, nie oglądając się na dziewczyny, odeszli w kierunku szkoły.

W jednym, szybkim jak piorun przebłysku świadomości Karolina nareszcie zrozumiała to, co dla innych było widoczne jak na dłoni – że to, co sama próbowała osiągnąć od miesięcy przez wpatrywanie się w okna jego domu, pożyczanie mu zeszytów, prośby o pomoc w rysunku technicznym, jej przyjaciółka osiągnęła natychmiast najprostszym możliwym sposobem. Podczas gdy Karolina wzdychała i pisała wiersze w pamiętniku, Beata najzwyczajniej w świecie poszła do tego półboga, idola całej szkoły, i przespała się z nim. Rozłożyła te swoje cienkie nogi w pończochach z bazaru Różyckiego na skórzanej kanapie jego ojca, trzepotała umalowanymi rzęsami i wbijała Krystianowi w plecy te pieczołowicie hodowane i piłowane spiczaste paznokcie pomalowane na kolor świeżej krwi. I to był jedyny powód, dla którego idol, kiedy zaproponowano mu poniżającą zabawę z brzydką koleżanką, zgodził się natychmiast: marchewką były chude nogi Beaty i jej usta, którymi – kiedy siedziały we trzy w jej dziewczęcym pokoju zawalonym różowymi narzutkami i pluszakami, pod plakatami z zespołem A-ha i Duran Duran – demonstrowała na trzonku szczotki do modelowania włosów, jak należy prawidłowo „robić laskę".

POWRÓT DO PRZESZŁOŚCI

Musiałam zapaść w drzemkę albo zamyśliłam się tak głęboko, że nie zauważyłam upływu czasu. Kiedy otworzyłam oczy, modlącej się kobiety już nie było, a ławki kościoła wypełniły się ludźmi, w większości starszymi kobietami. Światło przefiltrowane przez kolorowe szybki witraża było wyraźnie ciemniejsze, zapowiadało nadchodzący zmierzch. Wyszłam z kościoła. Na pętli wsiadłam do pustego autobusu, a gdy pokonując korki, dotarłam na moje osiedle, było już ciemno. Taki wczesny grudniowy zmierzch, nierozjaśniony światłem księżyca, bo niebo skrywały ciężkie, szare chmury. Na moim krańcu miasta zaczął padać śnieg – wielkie, mokre, szybko roztapiające się płatki.

Na widok Weroniki siedzącej jak zwykle przed telewizorem i miarowo poruszającej szczękami (tym razem jadła suszone figi, oczywiście resztki fig walały się wszędzie dookoła), poczułam skurcz narastający w mięśniach szyi i wykonałam sławny gest ojca – nerwowy rzut głową na bok. Kradnę ludziom gesty, ruchy, spojrzenia. Wystarczy mi kilka godzin przebywania w czyimś towarzystwie, żeby zarazić się charakterystyczną mową ciała tej osoby. Rzucam głową jak ojciec; śpię w pozycji embrionalnej jak mój mąż; oskarżycielsko podsuwam rozmówcy pod nos palec wskazujący, kiedy chcę go przekonać, że mam rację, jak babcia. Potakuję milcząco głową jak Krystian. Wystarczyły trzy miesiące po maturze, trzy miesiące, kiedy wreszcie zebrałam całą odwagę i przez chwilę mogłam się nazywać „jego dziewczyną". Trzy miesiące wystarczające na całe życie, miesiące, po których on zniknął bez śladu, a mnie zostało charakterystyczne potakiwanie. Jestem złodziejką, zbudowaną z cudzych gestów i powiedzonek, nie mam nic swojego.

Weronika na widok mojej miny uprzątnęła resztki fig i ściszyła telewizor, po czym wycofała się do swojego pokoju. Ja otworzyłam drzwi na balkon na oścież, żeby wywietrzyć odór zamkniętej w mieszkaniu nastolatki – zapach skarpetek niezmienionych po wuefie, niedojedzonego obiadu, tanich, ale piekielnie słodkich perfum, gumy do żucia o smaku mięty i melona. Wyszłam na balkon. Z wysokości piątego piętra krzaki okalające plac zabaw wydawały się śmiesznie małe. Pod moim balkonem sąsiadka z parteru, najwyraźniej niewrażliwa na zimno, bo ubrana tylko w T-shirt i dżinsy, z papierosem w ręku i telefonem przy uchu przechadzała się powoli po swoim ogródku wielkości chustki do nosa. Pozazdrościłam jej tej namiastki wolności, jaką dostała wraz z sześćdziesięcioma metrami trawnika z rolki – tego, że mogła stanąć w drzwiach balkonowych i ogarnąć spojrzeniem swoje mizerne włości, od krzaka róży pod jednym płotem po grządkę uschniętych dalii pod drugim. Wyżej w tej klatce na ludzi – nie bez powodu przecież mówi się „sąsiad z klatki" – były już tylko pudełka. Pudełko mieszkania z doklejonym pudełkiem balkonu, trzy metry kwadratowe wolności, akurat na suszarkę na pranie i dwie skrzynki z kwiatami.

Wyrzuciłam peta za balustradę balkonu. Ta z dołu spojrzała w górę i zaczęła bezgłośnie wygrażać mi pięścią, ale schowałam się w mojej klatce.

Wrócił Piotr. Rzucił teczkę na podłogę. Szuranie zdejmowanych butów, płaszcz rzucony na szafkę na buty.

– Śnieg pada – oznajmił mój mąż zamiast powitania.

– Wiem – kiwnęłam głową.

– Byłaś gdzieś? – zainteresował się, albo może udał zainteresowanie.

– Na Leśnym.

– Też sobie dzień wybrałaś na taką wyprawę. Beznadziejna pogoda.

– Jadłeś? – zmieniłam temat.

– Jadłem w pracy, przed posiedzeniem.

Podobno przeciętne małżeństwo rozmawia ze sobą dwie minuty dziennie. W moim małżeństwie trzydzieści sekund to już nużące maksimum. Śnieg, gdzie byłeś, jadłeś – na tym kończą się nasze tematy i wracamy do swoich gazet, komputerów, papierów i seriali.

Ale nie tym razem.

– Dowiedziałem się czegoś o tym chłopaku, o którego pytałaś – powiedział Piotr niedbale, w przerwie pomiędzy zmianą koszuli na stary T-shirt a sikaniem.

Coś ścisnęło mi gardło, ale dołożyłam wszelkich starań, żeby tego nie okazać. Odpowiedziałam równie niedbale:

– O, świetnie, dziękuję.

– Nie wiem wiele. Wiem, że siedział za sprzedaż narkotyków i za rozbój. Piętnaście lat temu, przez rok. Tylko tyle udało mi się dowiedzieć.

Spojrzałam na szerokie plecy mojego męża, tak bliskiego mi, a tak dalekiego. Tak jak już tyle razy wcześniej uderzyło mnie spostrzeżenie, że to właśnie jest miłość – patrzenie, jak ktoś najbliższy przebiera się w dres, sika, jak zasypia przed telewizorem... Tak to po prostu wygląda i nie ma nic więcej. To wszystko, co możemy dostać od losu: szczęk klucza w drzwiach wejściowych codziennie o tej samej porze i dotyk owłosionej łydki w nocy, okulary złożone na szafce przy łóżku i kubek parującej herbaty. Tak wygląda miłość i małżeństwo, kiedy ślubne ubrania są już o dwa rozmiary za małe, a w mózgu oksytocyna zastępuje dopaminę. Jakie to dziwne, pomyślałam, że nawet w tych przebłyskach spokojnego bycia razem gotowe jesteśmy odrzucić tę bliskość, byleby choć na chwilę powrócić do tych nieprzewidywalnych, szalonych pierwszych razów, do długowłosych chłopaków, którzy nie dali nam nic poza chwilami ulotnej satysfakcji, do tęsknot sprzed dwudziestu lat.

Piotr podgrzewał sobie spaghetti, widocznie nie najadł się w pracy. Ja przeglądałam notatki na laptopie, usiłując pozbyć się z głowy obrazu Krystiana aresztowanego za sprzedaż narkotyków i choć przez chwilę nie zastanawiać się, czy on też w tej chwili w jakimś domu podgrzewa sobie jakiś obiad i spogląda na jakąś kobietę.

Otworzyłam pamiętnik Anety, dopiero kiedy byłam pewna, że Piotr i Weronika smacznie śpią – jedno przed telewizorem nastawionym na kanał informacyjny, ale z wyłączoną fonią, drugie pod ikeowską kołdrą w kolorowe kwiaty. Zeszyt rozczulił mnie, jeszcze zanim go otworzyłam. Okładka, oklejona taśmą klejącą, żeby nie zniszczyć tandetnego, gazetowego papieru z „Bravo" z reklamą żelu na pryszcze. To niewiarygodne, jak szybko mody rozprzestrzeniały się wśród nas, w naszej szkole i prawdopodobnie w tysiącach innych szkół w tamtych szarych latach, kiedy przywożone z Zachodu „Bravo" i kalendarze reklamowe były jedyną namiastką luksusu. Luksusu, który zdewaluował się do dobra tandetnego, dostępnego w każdym kiosku za kilkadziesiąt groszy, niedostrzegalnego dla pokolenia Weroniki, obwieszonego puszystymi gadżetami od Diddla i kabelkami od mp3, gameboyami i tamagotchi. Dla pokolenia, dla którego telefon komórkowy z kamerą jest oczywistością taką jak dla nas telewizor Rubin. Dla nas zeszyty obłożone w wycinki z niemieckich gazetek stanowiły świętość. Nie pamiętam, która z nas zaczęła. Pewnie Beata, będąca zawsze – jak by to dzisiaj ładnie określić – nośnikiem wszystkich mód. Oczywiście po tygodniu czy dwóch wszystkie miałyśmy takie pamiętniki, tak samo jak wcześniej „złote myśli", w których na dwadzieścia pytań odpowiadały po kolei rozmaite osoby, albo jak zeszyty do zapisywania notowań Listy Przebojów Trójki, ozdobione wklejanymi pracowicie podobiznami piosenkarzy. Ciekawe, ile z nas, trzydziestoparoletnich, podstarzałych, ubranych w starannie maskowany cellulitis i krem na zmarszczki przykrywający nie wiadomo kiedy narosły bagaż dwóch dekad, zagląda czasem do szafy, do przepastnego pudła kryjącego zeszyty obłożone w dwie warstwy taśmy klejącej? Ten zeszyt był skarbem tym większym, że jego właścicielka nigdy nie obrosła trzydziestoletnim tłuszczem, nie zmieniła mocnych szkieł na modne soczewki kontaktowe, nie zdążyła nawet zrobić trwałej ani rozjaśnić włosów. Aneta pozostała na zawsze w piętnastoletniej, chudej, bocianiej postaci, z której nie zdążyła się wykluć kobieta. My zmieniałyśmy się, a ona gdzieś w tle naszego dorastania wciąż jeździła na czerwonym składaku, machając chudymi łydkami w rytm jazdy i ze splątanym warkoczem powiewającym na wietrze. Jak w tej piosence sprzed prawie dwudziestu lat: „Zostawcie Titanica, nie wyciągajcie go, tam ciągle gra muzyka, a oni w tańcu śnią". W piosence, przy której Gośka ocierała oczy, udając, że nie płacze.

Nie spodziewałam się rewelacji. Prawdę mówiąc, spodziewałam się zamrożonego fragmentu życia czternasto- i piętnastolatki. Małego wykopaliska naszej prywatnej archeologii, jak spinka do włosów wyciągnięta ze średniowiecznej latryny, dawno zapomniana, nieżałowana przez właścicielkę dłużej niż kilka dni. Zapomnianego okruchu rzeczywistości podobnego do tych zdjęć sprzed lat, na które patrzymy od czasu do czasu, z niedowierzaniem myśląc: „To ja? W tej koszmarnej fryzurze, makijażu? Czy to możliwe, że byłam taka brzydka?".

Tylko że Aneta miała już nigdy nie spojrzeć na stare zdjęcia krytycznym okiem i uśmiechnąć się z politowaniem na widok dawnej siebie.

Zaczynał się, jak pewnie każdy z naszych pamiętników, rozpaczliwie banalnie od „Drogi Pamiętniczku", a potem strony, dziesiątki stron o samotności, niezrozumieniu, brzydocie własnej i świata. Lustrzane odbicie wszystkich pamiętników wszystkich dorastających dziewcząt, a przynajmniej wszystkich z naszego pokolenia, pokolenia na granicy światów. Gdyby na podstawie tych pamiętników diagnozować skłonności samobójcze, wszystkie powinnyśmy dawno nie żyć, powieszone na suchej gałęzi w osiedlowym lasku, na strychu, zatrute gazem z piekarnika, utopione w kanałku. Ale my żyjemy.

Litera K obwiedziona czerwoną kredką, kontur serca. Taka sama litera pojawiała się i w moim zeszycie. Krystian rozprzestrzeniał się w naszej szkole jak każda inna moda, jak złote myśli i pamiętniki oklejone taśmą. Był najwyżej w hierarchii, był punktem odniesienia dla wszystkich naśladowców i zazdrośników, kimś, kogo w amerykańskiej kreskówce określono by jako *cool*. Nic dziwnego, że wszystkie dziewczyny kochały się w nim mniej lub bardziej beznadziejnie – jedne zwiedzione spojrzeniem na korytarzu i rzuconym w przelocie cześć, drugie upojone tańcem na szkolnej dyskotece i jeszcze inne, zadowalające się patrzeniem z ukrycia, jak stoi samotnie na przerwie w krzakach za bramką boiska i pali swoje zagraniczne papierosy. I wreszcie my – wtajemniczone. Znajome tego króla życia, godne podziwu i zazdrości wyłącznie dlatego, że chodziłyśmy z nim do jednej klasy, widziałyśmy, co nosi w piórniku, i pozwalałyśmy mu z udawaną niechęcią odpisywać z naszych schludnych zeszytów zadania domowe z fizyki i chemii. Litera K w sercu była naszym przeżyciem pokoleniowym na równi z „Bravo" i piosenką o Titanicu. Podobnie jak zdania, zapisywane wymyślnym, niby to dorosłym charakterem pisma w pamiętnikach: „Marzę o K. Nienawidzę Beaty. Chcę być na jej miejscu".

Dlatego nie zdziwiłam się, odczytując te zdania, pisane niewprawnym, okrągłym charakterem pisma dobrej uczennicy, któremu polotu miały dodawać kółeczka stawiane zamiast kropek nad „i" i fantazyjne ogonki przy literze „y". Gdybym otworzyła szafę i zajrzała do pudła malowanego w zegary, w którym trzymałam relikty mojej przeszłości, znalazłabym identyczne pismo, te same zdania i fioletowy atrament chińskiego długopisu.

Przeglądałam pamiętnik, niecierpliwie przerzucając kartki z przepisanymi tekstami łzawych przebojów i nieporadnymi wierszami, pragnąc dotrzeć do końca, do ostatniego dnia życia dziewczyny o patykowatych nogach. Do ostatnich słów, które zapisała, zanim zniknęła, by pojawić się dwa tygodnie później jako napuchnięte zwłoki wyłowione w miejscu, gdzie nasz osiedlowy kanałek uchodził do Wisły, dobre kilka kilometrów od pegeerowskich pól, przy których znaleziono jej porzucony rower z żółtym węgierskim sznurowadłem okręconym wokół kierownicy.

Na ostatniej stronie znalazłam tylko krótki wpis, datowany 13 marca 1988:

To już koniec. To było najgorsze upokorzenie mojego życia. Nie mam po co dalej żyć... A jednak jestem szczęśliwa, chociaż wiem, że to, co się stało, zdarzyło się z winy Beaty i tych dwóch. Może powinnam im podziękować, zamiast plakać nad sobą, bo wreszcie otworzyły mi się oczy na to, kim jest K. i dlaczego powinnam zawsze trzymać się z dala od nich. To chyba na razie wszystko.

Czy samobójcy piszą „to chyba na razie wszystko"? Na razie? Czy jest jakieś na razie, kiedy piętnastolatka jedzie rowerem na pole i rzuca się do brudnej, mętnej wody o zapachu błota? Psycholog wezwana do szkoły po śmierci Anety tłumaczyła nam, że próby samobójcze są zwykle wołaniem o pomoc. Ale czy nie woła się o pomoc, podcinając sobie żyły tępą żyletką z ojcowskiej maszynki do golenia w łazience bezpiecznie oddalonej od sypialni rodziców, tak by ten krzyk łatwo było usłyszeć?

Moja córka nie miała takich wątpliwości. Następnego dnia rano, kiedy ja zajęta byłam tłumaczeniem przez telefon niejakiej Jolancie z Chorzowa, że nie interesuje mnie jej przepis na makowiec, a tylko i wyłącznie historia jej zdrady małżeńskiej, o której napisała łzawy list do naszego miesięcznika, Weronika zaszyła się w swoim pokoju w podejrzanej ciszy. Kiedy wynurzyła się stamtąd, z włosami w nieładzie i ciemnozielonym lakierem na paznokciach, pod pachą trzymała zeszyt oklejony taśmą. Wyglądała jak nieletnia prokurator z dowodem rzeczowym, wkraczająca na salę sądową, żeby oskarżyć własną matkę o zbrodnię sprzed lat. Stanęła w drzwiach. Żuła coś – nie gumę, jak przypuszczałam; ostatnim krzykiem ich mody były pistacje i suszone owoce zjadane zamiast słodyczy.

– Śmieszny zeszyt – powiedziała i niedbale rzuciła pamiętnik na ławę, przy której siedziałam, trzymając w ręku słuchawkę telefoniczną, tłumiącą jeszcze wygasające echo mocnego, prawie męskiego głosu Jolanty z Chorzowa: „Pani redaktor, tylko bez fotografii. Tu całe osiedle czyta »Życie Kobiet«, nie wystawię się na pośmiewisko".

Weronika obserwowała mnie beznamiętnie jak dwulatka, którą niegdyś była, testująca, na ile może sobie pozwolić: czy zabawa pilotem od telewizora wywoła już wybuch złości, czy jeszcze nie. Teraz gryzła zielony paznokieć, widocznie orzechy się skończyły.

– To ty pisałaś? – zapytała, oglądając uważnie paznokieć z resztkami lakieru, które wyglądały jak ciemna, paskudna pleśń.

– Nie – odpowiedziałam.

– Tak myślałam. Dziwna ta dziewczyna. Co się z nią stało?

– Umarła – powiedziałam po prostu, mając nadzieję, że jeśli nie wdam się w szczegóły, to moja straszna, inkwizytorska córka odpuści sobie zadawanie pytań i wróci do pokoju zjadać orzechy. Nie powstrzymałam się jednak: – Zabiła się... Chyba.

To było pierwsze „chyba", pierwszy cień niepewności, na jaki pozwoliłam sobie od dziewiętnastu lat. Pierwsza wątpliwość podsycona niepewną nadzieją bijącą z ostatniej strony pamiętnika.

– Yhy – Weronika pokiwała głową, w jej szarych oczach pierwszy raz ukazał się błysk zaciekawienia. – Piszesz o niej do swojej gazety?

– Coś w tym rodzaju – odparłam. – Znałam ją kiedyś. Dawno temu.

– Znałaś ją, kiedy umarła?

– Tak.

– Yhy – znowu paznokieć w buzi. – Nie wyglądała mi na taką, co by się zabiła. Z tego, co napisała.

– Nie? – Teraz ja byłam zdziwiona, zaciekawiona. W końcu kto mógł dysponować lepszym kluczem do zrozumienia zagubionej nastolatki niż inna nastolatka? Tak samo chuda, nieładna, ogryzająca paznokcie do krwi.

– Jaka była? – zapytała moja córka. – O czym rozmawiałyście? O tym jakimś „K"?

– Rozmawiałyśmy o wszystkim – powiedziałam w zamyśleniu, zapalając papierosa, żeby zająć czymś ręce. – Chodziłyśmy po szkolnym boisku i opowiadałyśmy sobie o swoich marzeniach, o snach, o tym, co chcemy robić, kiedy dorośniemy. Tak jak ty i Zuza.

– A daj mi spokój z Zuzą – Weronika wykrzywiła się. – Zuza jest głupia jak but i nic nie rozumie. Tylko szorty od Tommiego, buty z Billabonga, sandały od Blahnika. Może tak godzinami jak jej głupia matka. Zuza chce być chuda, kiedy dorośnie, i mieć wielki biust, to tyle w temacie Zuzy. A tamta, ta... Aneta?

– Aneta chciała latać – powiedziałam cicho.

1986: CRY JUST A LITTLE BIT

– Chciałabym latać – powiedziała Aneta, wpatrując się w bezchmurne niebo nad szkolnym boiskiem.

Była wiosna, miałyśmy trzynaście lat i wszystko w nas pięło się w górę do nieba. Drzewa otaczające prostokąt, na którym grali w piłkę chłopcy z ósmych klas, pyszniły się tysiącami odcieni młodej, kwietniowej zieleni. Nasza klasa skakała w dal, a my wymówiłyśmy się od wuefu niedyspozycją i siedziałyśmy pod krzakiem opodal bieżni.

– Latać? – zapytała Karolina z niedowierzaniem.

Przez rozbieg przetoczyła się Gośka, jak kula armatnia, ciężkie piersi rozbujane pod koszulką, grube uda w krótkich spodenkach pracowały miarowo. Odbiła się od progu i z jękiem grzmotnęła w piasek. Ziemia zatrzęsła się, a Gośka wygramoliła się niezdarnie z piachu i popatrzyła z zazdrością na koleżanki, siedzące wygodnie na trawie. Wuefistka, chuda, żylasta blondynka o wyglądzie sadystycznej instruktorki aerobiku, gwizdnęła donośnie.

– Dwa osiemdziesiąt, Królak. To jak, trzy z dwoma czy próbujesz jeszcze raz?

– Trzy z dwoma poproszę – wysapała Gośka i rzuciła się na trawę. Jej pyzate policzki przybrały kolor niezdrowej, apoplektycznej czerwieni.

– O czym gadacie?

– Aneta chce latać – powiedziała Karolina, maltretując w palcach szerokie, ostre źdźbło trawy. Ściśnięte w odpowiedni sposób pomiędzy kciukami złożonych dłoni i przyłożone do ust powinno wydać donośny gwizd, ale uparcie milczało, a w najlepszym razie wydawało zduszone odgłosy podobne do pierdnięcia.

– Latać samolotem – roześmiała się Aneta. Niedbale zerwała kolejne źdźbło trawy i przyłożyła do ust. Dmuchnęła, nad boiskiem poniósł się przenikliwy dźwięk. – Tak się to robi – powiedziała i przetarła okulary rogiem koszulki.

– Jak latać? Kobiety nie latają – parsknęła Gośka, która już odzyskała oddech po nieudanym skoku i zaczynała wracać do normalnych kolorów.

– Latają. Samolotem, szybowcem, helikopterem. Będę latać, kiedy dorosnę.

– A mi się czasem śni, że latam – Gosia zmrużyła oczy z rozmarzeniem. – Nie mam wtedy tych cholernych sześćdziesięciu ośmiu kilo, mogę sobie latać nad światem i patrzeć z góry na wszystko.

– W sumie o to chodzi – zgodziła się Aneta. – Patrzeć z góry. Wszystko byłoby malutkie jak robaki i zupełnie nieważne.

– Oddałabym wszystko, żeby kiedyś spojrzeć na nią z góry – Gośka wskazała palcem na Beatę, która na swoich smukłych nogach w różowych adidasach przefrunęła zgrabnie nad piaskiem, bijąc rekord klasy i wstając bez cienia wysiłku na twarzy.

Karolina nie odpowiedziała. Utrzymywanie ścisłej więzi z trzema osobami naraz okazało się znacznie trudniejsze, niż mogła sobie to wyobrazić, kiedy nakłuwała palec igłą i podpisywała pakt o wiecznej przyjaźni. Trzy osoby stanowiły jeszcze układ w miarę przewidywalny i w miarę harmonijnie egzystujący w regularnym rytmie obrażania się i godzenia, obgadywania i przepraszania, zaś między czterema osobami powstawała już sieć skomplikowanych układów i zależności. Sieć wiązana supłami stwierdzeń w rodzaju: „A bo Gośka mówi, że masz krzywe nogi" albo: „No to idź do Anety, jak wolisz ją od nas", które potrafiły raptownie zachwiać równowagą całej grupy albo nadać ich przyjaźni całkiem nowy, nieoczekiwany kształt.

Karolina nie umiała odnaleźć się w tym skomplikowanym świecie lojalności, okazywania uczuć wszystkim po równo pod groźbą utraty przyjaźni, przekazywania tylko bezpiecznych okruchów informacji, a pomijania tych istotniejszych. Dlatego od jakiegoś czasu grawitowała w stronę Anety, o której nie myślała już „ta nowa" ani „Wrona". Oczywiście, jak każdy układ, i ten miał okazać się zmienny, kiedy „trzy plus jedna" zamieniło się w „trzy przeciwko jednej", i rozpaść z pierwszą zmianą sytuacji. Ale wtedy, rozmawiając z Anetą, nie mogła się nadziwić, jak mylące było pierwsze wrażenie. Nie pamiętała już, że na początku znajomości patrzyła na nową tylko przez pryzmat jej brzydoty, chudych nóg i głupiego nazwiska, że w ogóle nie potrafiła dostrzec ukrytej za grubymi szkłami osoby. Osoby, która potrafiła zmusić oporne źdźbło trawy do wydawania z siebie gwizdu i która marzyła o lataniu. W pewnym sensie czuła się bliższa tej dziewczynie niż nieskazitelnej, smukłej Beacie z jej rekordami szkoły, szeptanymi opowieściami o pocałunkach z Mirkiem ze starszej klasy i dżinsami, które miały na dole nogawek suwaki i kokardy. Z drugiej strony wiedziała, że bycie w gronie, które w amerykańskim filmie nazywałoby się gronem najpopularniejszych dziewcząt w klasie, zawdzięcza głównie przyjaźni z Beatą. Gdyby jej zabrakło, osierocona gromadka trzech przyjaciółek szybko zmieniłaby się w grono nieudaczników, szkolny salon odrzuconych z grubą Gośką i brzydką Anetą, które pociągnęłyby za sobą na dno także rozpaczliwie zwyczajną Karolinę. Z tego powodu, zazdroszcząc przyjaciółce i nienawidząc jej w głębi duszy, jednocześnie rozpaczliwie zabiegała o jej względy – a wszystko to poza udziałem świadomości.

Dlatego też, kiedy lekcja się skończyła, przyjaciółki wróciły do domu we czwórkę, paplając i kopiąc kamienie. Wybrały inną drogę niż zwykle, omijając szerokim łukiem pętlę autobusową, na której po szkole gromadzili się chłopcy, zbici w gromadkę i pokpiwający z przechodzących dziewczyn. Po ulicy Szerokiej, między szkołą a pętlą, jeździł miarowo tam i z powrotem Zenek w swoim za dużym berecie i gumiakach, wykrzykując sprośności pod adresem uczennic wracających do domów. Szły więc okrężną drogą, z dala od zagrożeń, przez ugór wzdłuż wylotówki, a później nad kanałkiem, ale już we trzy, bo Aneta odłączyła od nich na skrzyżowaniu.

Tej wiosny, niespodziewanie ciepłej, jak gdyby przyszła wynagrodzić wyjątkowo mroźną zimę, krajobraz wokół nich zaczął się zmieniać, niepostrzeżenie, ale nieodwołalnie. Przy szkole postawiono kładkę nad wylotówką, po tym jak na szosie zginęło ósme dziecko rozjechane przez pędzący samochód. Dzieckiem był jeden z niezliczonych Marciniaków, więc najprawdopodobniej nikt poza jego wychowawczynią nie odnotował straty, mimo to odpowiednie władze wyrwane z letargu alarmującymi statystykami postanowiły umożliwić uczniom bezpieczny powrót do domu. Pani Karasiewicz, ucząca rosyjskiego, a w wolnych chwilach także biologii i prac ręcznych, otworzyła na rogu wylotówki budkę z lodami. Budka odniosła nieoczekiwany sukces, choć złośliwi mawiali, że klientów napędza nauczycielce strach uczniów przed dwóją z rosyjskiego, więc bezpieczniej jest się tam pokazywać i dać nauczycielce zarobić. Ulicę radzieckiej działaczki rewolucyjnej prowadzącą od pętli do domu Karoliny wysypano świeżym tłuczniem, aby dodać jej pozorów miejskości. Asfalt miał pojawić się na niej dopiero po zmianie ustroju, kiedy ulicę przemianowano na cześć batalionu powstańczego, równie obojętnego mieszkańcom jak radziecka gierojka, a może nawet bardziej, bo tamta po latach panowania nad żwirowym traktem stała się już swojska, bliska jak stara znajoma, wymawiano jej nazwisko poufale i nieco protekcjonalnie, a batalion AK był niezręczny, o długiej, niemożliwej do zapamiętania nazwie. Jednak, co najważniejsze i najbardziej niepokojące, odebrano dziewczętom opuszczony dom.

Pewnego dnia po odejściu zimy, gdy zelżały najcięższe mrozy, a one wybrały się jak zawsze na spotkanie w pokoiku na facjatce, gdzie mogły wymieniać najskrytsze myśli bez obaw, że podsłucha je namolny młodszy brat czy matka wchodząca z tacą sernika, spotkało je rozczarowanie. Na podwórku, pośród desek, rolek papy i siatki ogrodzeniowej, uwijali się dwaj niechlujni robotnicy, betoniarka kręciła się, chlapiąc na wszystkie strony szarą masą, a w otworach w ścianie pojawiły się pierwsze okna. Na domiar złego nowi właściciele sprawili sobie psa, chude i złośliwe bydlę o zmierzwionej sierści, które nigdy chyba nie sypiało, za to spędzało dnie i noce na bieganiu wzdłuż płotu z miarowym, dudniącym ujadaniem. Z wąskiego, czarnego pyska ciekła mu ślina, a żółte kły i wywieszony jęzor skutecznie zniechęcały intruzów. Dziewczęta nie zdążyły nawet pokazać swojej kryjówki Anecie. Czwarta przyjaciółka musiała zadowolić się opowieściami o inicjałach wydrapanych na cegłach i o butelce piwa wypitej we trzy ukradkiem na poddaszu. Spotkania z konieczności trzeba było przenieść do bezpiecznych pokoi Gośki i Karoliny. Dom Beaty nie nadawał się, dostępu bronili dziadkowie z mnóstwem irytujących reguł, które skutecznie utrudniały swobodną rozmowę, a zresztą Beata nie kwapiła się do zapraszania przyjaciółek do siebie, gdy w domu była jej matka, czyli zawsze po południu. Mieszkanie Anety w czynszówce odpadało z powodów bardziej prozaicznych – dziewczynka sypiała, mieszkała i odrabiała lekcje w kącie kuchni, oddzielonym od reszty pomieszczenia plastikową zasłonką, za którą mieściło się niewielkie łóżko i chybotliwy stolik służący za biurko do nauki. Dlatego też najczęściej chroniły się u Gośki, w pokoju z lakierowaną meblościanką i kanapą przykrytą żakardową narzutą. Siedziały na podłodze, słuchając muzyki z grundiga albo oglądając cokolwiek w telewizji, podczas gdy z suteryny dobiegał monotonny warkot maszyny do szycia. Albo też siadały u Karoliny, w pokoju całym w sosnowych półkach zastawionych książkami i lalkami, przygotowane na nadejście jej młodszego brata z nieodzowną grą elektroniczną w ręku. Jacek, zapatrzony w ekranik radzieckiej gry, na którym wilk chwytał do koszyka spadające coraz szybciej jajka, rzadko jednak przeszkadzał im w rozmowach i w zabawie Fleur, podrabianą Barbie z Peweksu, którą rozbierały i ubierały cokolwiek mechanicznie, tak jak dorośli jedzą orzeszki i palą papierosy – żeby zająć czymś ręce.

– Ciekawa jestem, kto tam zamieszka... – zawiesiła głos Karolina podczas jednego ze spotkań.

Wtedy trzy pary oczu zwróciły się wyczekująco na Beatę. To przecież ona znalazła opuszczony dom, to ona znała jego niedoszłych właścicieli, to ona była zawsze źródłem ciekawych informacji dzięki niezliczonej sieci znajomych, kuzynów i uganiających się za nią chłopców. Beata wzruszyła tylko ramionami.

– Nie mam pojęcia – powiedziała. – Wiem tylko, że nie ci sami ludzie, którzy zaczęli budowę. Tamci wyjechali do Stanów.

– Zamieszka tam rodzina cudzoziemców – rozmarzyła się Aneta. – Będą mieli ciemnoskórego służącego i perskie koty, a pani domu będzie chodziła w sukniach do ziemi i chuście na głowie.

– E, takie rzeczy to tylko w książkach – parsknęła jak zawsze przyziemna Gośka. – Zamieszka tam dziewczyna taka jak my i będzie chodzić z nami do klasy.

– No – poparła ją Beata, rozkładając szeroko nogi plastikowej lalki z ramionami na zawiasach i kłębem sfilcowanych, żółtych włosów na nieproporcjonalnie dużej głowie. – Albo lepiej jakiś chłopak, który zakocha się w jednej z nas. – Pewnie w tobie? – Karolina odważyła się na nieśmiałą złośliwość, która jednak została wzięta za dobrą monetę. – No, przecież nie w was – oznajmiła Beata, zmuszając lalkę do szpagatu. – Ale nie martw się, jak mi się nie spodoba, to ci go oddam – i wygłosiwszy to proroctwo, które za kilka lat zupełnie nieoczekiwanie miało się spełnić, ścisnęła z trzaskiem nogi nieszczęsnej Fleur i wbiła ją w błyszczącą suknię balową.

Karolina nie ośmieliła się przyznać, że woli wersję z egzotyczną księżniczką w sari, bo ta wersja opowieści nie zawierała upokorzenia. W nagłej ciszy niespodziewanie głośno rozbrzmiał refren piosenki. Shakin' Stevens w białych butach i kraciastej koszuli śpiewał o płaczu, a każda z czwórki dziewczyn myślała o czym innym, starannie ukrywając swoje myśli przed pozostałymi.

UPIÓR

Na to spotkanie szykowałam się wyjątkowo starannie. Już kiedy dzwoniłam do Renaty, na numer wydrukowany na eleganckiej wizytówce, czułam się onieśmielona. Mam kompleks niższości wobec karierowiczów, choćby byli zaledwie trybikami w korporacjach i firmach. Ich eleganckie tytuły i kredowe wizytówki z niezliczonymi numerami telefonów budzą we mnie lęk, są potwierdzeniem, że te osoby, w przeciwieństwie do mnie, do czegoś w życiu doszły. A przynajmniej mają na to papier od najwyższych władz zarządzających pieniędzmi i karierami – oficjalne potwierdzenie tego, że są kimś. Spędzają jedną trzecią swojego życia w sposób produktywny, realizując założenia, strategie i wdrażając nowe rozwiązania. Stopieni w jedno z wielką firmą, podporządkowujący jej swoje plany w nadziei otrzymania od niej w zamian poczucia przynależności i dowodu własnego istnienia w postaci białego kartonika z angielską nazwą stanowiska. Mężczyźni w garniturach, kobiety w garsonkach i w szpilkach, ludzie w służbowych samochodach, ze służbowymi laptopami w służbowych teczkach – ludzie sukcesu. W odróżnieniu od podrzędnej dziennikarki, której właśnie odebrano temat, ponieważ nie potrafiła zmusić prostej Jolanty z Chorzowa do pokazania swojej twarzy przy historii o zdradzie i pojednaniu.

Świadomość, że Renata i ja pochodzimy z zapyziałego Leśnego o miejskich ambicjach, niewiele zmieniała. Próbowałam znaleźć w szafie cokolwiek, co mogłoby pasować do mundurka Renaty, co miałoby odpowiednią wagę i krój, co zrównoważyłoby jej garnitur i francuski dyplom. Wreszcie poddałam się i wskoczyłam w dżinsy i koszulę w prążki, jedyną rzecz, którą mogłam nazwać oficjalnym strojem, dodałam sztruksowy żakiet. Przyjrzałam się sobie krytycznie w lustrze i natychmiast z pamięci wypłynęła ocena mojej matki.

„Ty i ja należymy do tego typu kobiet – powiedziała kiedyś, obserwując moje niezdarne pierwsze próby makijażu i upinania włosów – które, kiedy siądą przy barze w hotelu Victoria, ubrane w suknię od Diora, usłyszą tylko:»Ile bierzesz, kochana?«”. Było to oczywiście jeszcze za czasów domku na Leśnym, kiedy dla pokolenia moich rodziców luksus symbolizowały striptiz w Kongresowej, hotel Victoria i dziwki.

To prawda. Mając trzydzieści pięć lat, wyglądam jak typowa Polka: dziesięć kilo nadwagi, wielki biust wylewający się górą z przymałego stanika, za długa blond grzywka. Nigdy nie będzie mi dane wyglądać jak osoba wyrafinowana, zamożna, smukła smukłością wyćwiczoną na siłowni, neurotyczna. Jestem dobrze odżywioną, rumianą, słowiańską babą i taka pozostanę, wiedziałam to już dwadzieścia lat temu, patrząc na Beatę, na jej smukłe ciało i profil Grety Garbo. Niemniej jednak perspektywa spotkania ze szczupłą Renatą w jej korporacyjnym rynsztunku nie napawała mnie optymizmem.

Mimo to miałam nadzieję, że trochę uda mi się zrównoważyć jej sukcesy, powagę i osiągnięcia, w porównaniu z którymi moja bazgranina o tuszach do rzęs wyglądała żałośnie, czymś, co na prywatny użytek nazywam „efektem dziennikarza". Zauważyłam to w chwili, kiedy w dawno upadłym tygodniku „Plotki o Gwiazdach" pojawiła się pierwsza moja notatka, przepisana z niemieckiego wydania pisemka, przetłumaczona i skondensowana do pięciuset słów, o ile dobrze pamiętam, o rozwodzie którejś hollywoodzkiej gwiazdy. To wtedy, nieco na wyrost, zaczęłam mówić o sobie dziennikarka i wtrącać mimochodem w rozmowie, że piszę do „Plotek". Efekt przerósł moje najśmielsze oczekiwania. Zdaje się, że pisanie czegokolwiek i drukowanie pod własnym nazwiskiem stanowi dla tych, którzy nie piszą, przedmiot najdzikszej zazdrości i uwielbienia. Dziwne to, jeśli wziąć pod uwagę, że pisanie jest umiejętnością, którą ogromna większość z nas posiadła w wieku siedmiu lat, i że nie wymaga ona właściwie żadnych dodatkowych talentów. Pisać każdy może, trochę lepiej lub gorzej, i, inaczej niż w piosence Stuhra, nie ma w tym drwiny. Zresztą przekonałam się, że piszą wszyscy – od pamiętników trzynastolatek, przez rozpaczliwie grafomańskie wiersze przedsiębiorców, którzy tomiki wydają własnym sumptem, bo lubią wyobrażać sobie, że mają artystyczną duszę, aż po rozwlekłe i pełne błędów ortograficznych opowiadania o zawiedzionej miłości, które piszą panie w średnim wieku i wysyłają do naszej redakcji z kokieteryjnym zastrzeżeniem „wiem, że to tylko taka sobie pisanina" na początku listu. Kiedy zaś ktoś, kto pisze bez sukcesu, natrafia na wyrobnika takiego jak ja, zarabiającego średnią krajową na zgrabnym składaniu literek w zdania na zadany temat, natychmiast rzuca się na kolana z pełnym podziwu westchnieniem i, niestety, proponuje próbki własnej twórczości do przeczytania i oceny. Mogę sobie tylko wyobrażać, co przeżywają prawdziwi pisarze, bombardowani „efektem pisania" w zwielokrotnionym natężeniu.

Renata nie okazała się jednak wrażliwa na moje „dziennikarka" rzucone mimochodem na początku rozmowy ani na powtórzony kilkakrotnie tytuł pisma. Ja w odwecie nie podjęłam tematu jej studiów we Francji i angielskich tytułów na wizytówce. Kobiece gierki. Mężczyźni wkładają najlepsze zegarki, pseudocodzienne ubrania z dobrze widocznymi nazwami modnych marek, a w trakcie rozmowy niby to dyskretnie odbierają telefony na najnowszych modelach komórek. Kobiety walczą na niepodjęte tematy, unikanie odpowiedzi i znudzone „ahaaa" zamiast zachwyconego „niemożliwe?".

Kiedy siedziała naprzeciwko mnie w osiedlowej pizzerii, wrażenie powrotu do przeszłości było jeszcze bardziej dojmujące, niż gdy spotkałam ją na poczcie. Ciemne włosy z czerwonymi refleksami spięła w kucyk jak za dawnych lat, założyła jasną koszulkę i dżinsy. Na jej smukłych, białych palcach nie zauważyłam obrączki. Moja, niegdyś matowa, dzisiaj wyświecona od kilkunastu lat nieprzerwanego noszenia, nieestetycznie wrzynała się w palec, grubszy niż w dniu ślubu.

– Masz córkę, tak? – zagadnęła Renata, bez większego zainteresowania.

Potwierdziłam, myśląc o zbuntowanej Weronice, która teraz prawdopodobnie zamieniała swój i nasz pokój w stajnię Augiasza, przewracając wszystko w poszukiwaniu długopisu, gumki, spinki do włosów... czegokolwiek.

– Ja nie mam dzieci – powiedziała. – Kiedyś chciałam, teraz już chyba za późno.

– Dawno tu mieszkasz? – zapytałam, żeby zmienić temat.

Dzieci są jak pisanie – jeśli je masz, ci, którzy nie mają, zazdroszczą ci i podziwiają, jak gdyby nie była to najprostsza, najbardziej biologiczna ludzka zdolność, urodzić młode i zadbać, żeby dożyły dorosłości. Jeśli je masz, czujesz się jak wyrobnik i nie rozumiesz, dlaczego bezdzietna część ludzkości zazdrości ci najbardziej niewdzięcznej, wyczerpującej, syzyfowej pracy, jaką można wykonywać.

– Od trzech lat – odparła. – Nie widujemy się na ulicy, bo wracam wieczorami. Dzisiaj wyjątkowo udało mi się wyrwać.

Rozmowa utknęła. Nigdy nie byłyśmy sobie bardzo bliskie, a ta złudna zażyłość wynikająca z przynależności do grupy dzieci oznaczonej cyfrą i literą, to, co niektórzy sławią jako więzi zadzierzgnięte w szkole, w naszym przypadku okazała się za słaba. Przez kilka lat spędzałyśmy codziennie kilka godzin w jednej sali – ona w trzeciej ławce pod oknem, ja w czwartej pod ścianą – pożyczałyśmy sobie czasem ołówek i kiedyś ona wylosowała mnie na mikołajki, i dała mi tandetny dziesięciokolorowy długopis. Tyle. Twarz ze szkolnej fotografii.

Żeby przerwać tę krępującą ciszę, rzuciłam:

– Jeździsz czasem na Leśne?

Renata popatrzyła na mnie z zaskoczeniem, zanim odpowiedziała:

– Czasem muszę, do rodziców. Nie lubię tego miejsca, najchętniej wymazałabym je z pamięci.

– Dlaczego? – zapytałam, choć znałam odpowiedź.

– Nie lubię o tym mówić – powiedziała Renata z wyraźną niechęcią, ale po chwili jej twarz się rozluźniła. Podniosła do ust szklankę z wodą (mineralna, niegazowana, bez lodu) i mówiła dalej: – To miejsce jest jak bagno... Jedziesz tam i zapadasz się we wspomnienia po uszy... tu mieszkał ten, tu tamten, tu rozwaliłam nogę o krawężnik, a tam całowałam się z Marcinem z siódmej B. A ja najchętniej zapomniałabym o wszystkim, co się wydarzyło przed pójściem do liceum. Czuję się bardziej na miejscu tutaj, w Warszawie, w blokach i wieżowcach. Tu jestem kimś, może anonimowym kimś, ale nikt nie zna mnie od dziecka, nie przypomina mi o tym, jak chodziłam w za dużych spodniach po starszym kuzynie i jak kradłam maliny z działek... I nic nie przypomina mi o tym, co się stało w 1988 roku.

– A co się właściwie stało? – Widząc wyraz jej twarzy, poprawiłam się natychmiast: – Co się stało z tobą, to miałam na myśli.

– A nic – westchnęła moja dawna koleżanka. – Dzisiaj pewnie nazwano by to depresją, ale wtedy to się nazywało fanaberie, dziewczyna się rozkleiła po śmierci przyjaciółki. Przestałam jeść, przestałam się myć, przestałam się odzywać, nie chodziłam do szkoły. Ojciec groził mi pasem, babcia wmuszała we mnie rosół, matka szalała z rozpaczy, że skończę tak jak Aneta, że pójdę i się utopię w kanałku albo powieszę na czereśni w ogrodzie. Wysłali mnie na wakacje do jakiejś ciotki nad morze, która mnie karmiła na siłę i prowadzała za rączkę na spacery, aż wreszcie okazało się, że muszę powtarzać ósmą klasę. Ósmą klasę, wyobrażasz sobie?

– Pamiętam – powiedziałam.

– Nie jestem pewna, czy pamiętasz – skrzywiła się. – Ja pamiętam, że żadna z waszej trójcy mnie nie odwiedziła, nie zaproponowała pomocy w nauce…

– A przyjęłabyś pomoc?

– Pewnie nie, chodzi o to, że nikt nawet nie spróbował. Pilnowałyście tylko własnej dupy, tego, żeby dostać się do wymarzonego liceum w mieście, żeby broń Boże nikt się nie dowiedział, jak udało wam się zaszczuć koleżankę z klasy do tego stopnia, że pewnego dnia się zabiła. To by wam przecież pokrzyżowało plany. Siedziałyście cicho, kułyście do egzaminów. Więc kiedy to zrozumiałam, jakiś czas później, pomyślałam, że nie pozwolę, żebyście i mnie zmarnowały życie, że i ja pójdę do dobrej szkoły i zostanę kimś, żeby nie było, że Beata i tak wygrała.

Nie wiedziałam, co odpowiedzieć. To wszystko, co prawie dwadzieścia lat próbowałyśmy ukrywać, było przez cały ten czas jasne i oczywiste, zrozumiałe nawet dla piętnastolatki w depresji, która nie miała więcej niż trzy na świadectwie.

– To ty wiedziałaś? – zapytałam wreszcie, głupio i niezdarnie, próbując pokryć zmieszanie ceremonią szukania zapalniczki w przepastnej zamszowej torebce i zapalaniem papierosa.

– Nie wiem, co wiedziałam – odparła Renata – wiedziałam tylko tyle, że musiałyście mieć coś wspólnego z jej śmiercią, bo odkąd zaczęła przyjaźnić się z wami, stała się nie do poznania. Na początku byłam zazdrosna o tę waszą przyjaźń, byłyście jak jakieś amerykańskie cheerleaderki, takie najpopularniejsze dziewczyny w szkole, sama chciałam być jedną z was... Ale przecież nie potrzebowałyście głupiej dziewuchy, córki tramwajarza. To był elitarny klub dla ubeckich i badylarskich córek z lepszej części osiedla, no nie?

– Nie – powiedziałam cicho. – Wiesz, przepraszam, ale chyba muszę już iść.

Na odchodnym, powodowana wyłącznie impulsem, rzuciłam:

– A ty naprawdę wierzysz, że Aneta się zabiła?

– Nie wiem – Renata wzruszyła ramionami. – Nie chcę w to wierzyć, wolałabym, gdyby przejechał ją samochód, to byłoby zrozumiałe. Ale też nie wiem, co dokładnie jej zrobiłyście.

– Ja też nie wiem – powiedziałam. – W sumie chciałyśmy ją tylko nastraszyć, żeby nie wtrącała się w sprawy Beaty. A wyszło, jak wyszło. Miał być głupi kawał, miałyśmy się poznęcać, a chyba przegięłyśmy. Ale żeby wiedzieć, co się dokładnie stało, musiałabym znaleźć Krystiana, a on zniknął.

– Jak to zniknął?

– No, zniknął. Kamień w wodę. Nawet w googlach go nie ma.

– Zawsze możesz porozmawiać z jego ojcem – powiedziała Renata – zdaje się, że mieszka tam gdzie dawniej, w tym dziwacznym domu.

1987: REAL WILD CHILD

Pomysł wagarów narodził się chyba w pokoju Karoliny, na wysłużonym enerdowskim tapczaniku, na którym siedziały we cztery, jak zwykle bezmyślnie przebierając rozczochrane lalki i kartkując „Bravo". W radiu leciała Lista Trójki, a w niej, na miejscu dwudziestym którymś Iggy Pop ryczał o dzikim dziecku. Dochodziła dziewiąta i wiadomo było, że za chwilę trzy dziewczyny wsiądą na trzy rowery zaparkowane pod garażem, a Karolina zostanie sama z zeszytem do zapisywania notowań Listy i z lalką Fleur przebraną w futro na goły, imponujący biust oraz w czerwone szpilki.

– Wygląda jak kurwa! – ucieszyła się Beata, a Aneta skrzywiła.

– Nie klnij tak!

– A bo co, zabronisz mi? – Beata uśmiechnęła się złośliwie.

Sięgnęła po podrabianego Kena, w tenisowym swetrze i białych spodenkach, pod którymi odznaczały się wyraźnie toporne, plastikowe wzgórki imitujące genitalia. Narzuciła Kenowi czarny trencz od swojej Barbie, po czym nagłym ruchem rozchyliła go.

– Buu! Jestem debil Zenek i pokażę ci, co mam pod płaszczem! – wrzasnęła.

Na to z kolei skrzywiła się Gośka, która akurat zajmowała się przeżuwaniem krakersów na zmianę z wedlowskimi cukierkami z odrzutów eksportowych, które masowo dostarczała jej ciotka pracująca w fabryce czekolady przy Targowej.

– Zostaw Zenka w spokoju, może to debil, ale...

– Ale jednak rodzina, co? – Beata wykrzywiła się złośliwie. – Tak, jak na ciebie patrzę, to nawet jesteś podobna do kuzynka debilka.

– Weź przestań. Co cię dzisiaj ugryzło? – Karolina postanowiła położyć kres bezsensownej kłótni.

Nie rozumiała dobrze, co właściwie wstąpiło w przyjaciółkę. Układna Beata z warkoczem gdzieś zniknęła, zastąpił ją złośliwy chochlik. Po długim przekonywaniu i pokonaniu sprzeciwu dziadków udało jej się wreszcie obciąć warkocz, który sięgał już za pośladki, i teraz miała taką samą fryzurę jak prawie wszystkie dziewczyny w klasie: proste włosy sięgające ramion, mocno wycieniowane na czubku głowy w sztywną, wylakierowaną chryzantemę. Karolina wyglądała tak samo, fryzura Gośki przypominała bardziej ciemne, skręcone gniazdo jakiegoś dzikiego ptaka, jedynie Aneta pozostała przy długich, mysich włosach związanych zwykle w niezdarny koński ogon. Ale oczywiście tylko Beata w nowej fryzurze wyglądała naprawdę ładnie. A jej niebieskie oczy świeciły złośliwie spod grzywki.

– Ano, nic. Tylko coś bym zrobiła, bo jest cholernie nudno – odpowiedziała.

Rzeczywiście, od kiedy opuszczony dom przestał być opuszczony, zrobiło się jakby nudniej bez tej wspólnej tajemnicy. Pozostało im tylko wysiadywanie w domu i jeżdżenie na rowerach bez celu naokoło Leśnego, z rzadka zapuszczanie się dalej, poza tory kolejowe, aż pod ogromną bańkę fabryki telewizorów i z powrotem.

– Chodźcie, pójdziemy na wagary – wypaliła nagle Gośka w przerwie między cukierkiem Pierrot a kolejnym krakersem.

Gośka, gruba i zwykle ostatnia do wymyślenia czegokolwiek ciekawszego niż siedzenie na polu i jedzenie na przemian z gadaniem.

I może dlatego że inicjatywa wyszła z tej najmniej oczekiwanej strony, wagary zostały zatwierdzone jednogłośnie. Aneta oczywiście narzekała, że ojciec ją spierze, jeśli się dowie, Karolina też nie była pewna, co się wydarzy, ale mimo to zgodziła się bez wahania. Dla samej możliwości odmiany warto było zaryzykować.

Ojciec tym razem nie pukał, wszedł do pokoju wściekły, poznała po tym, jak chodziła mu szczęka, mimo że nic nie mówił. Miał taki charakterystyczny grymas, który już z daleka zdradzał zdenerwowanie i który ostatnio widywała coraz częściej – niekontrolowany ruch dolnej szczęki w bok, coś jakby skurcz jakiegoś drobnego mięśnia przy ustach, powtarzający się gdy jechali samochodem i zgubili drogę, kiedy matka znowu wracała z pracy za późno, zarumieniona i uśmiechnięta, tłumacząc się kolejkami w sklepie czy na stacji benzynowej, kiedy wreszcie Jacek z kolegami wleźli na czubek czereśni w ogrodzie i próbowali skakać na rozłożone niżej łóżko polowe. Mimo to nie krzyczał, nie bił, nawet nie straszył pasem jak kiedyś, gdy oboje mieli po kilka lat; mówił cichym, zimnym głosem, w widoczny sposób hamując pasję, co w jakimś sensie było straszniejsze niż lanie i natychmiast przywodziło Karolinie na myśl zakazane słowo „ubek".

– Co ty sobie właściwie myślałaś? – zapytał. – Myślałaś, że się z matką nie dowiemy, co wyprawiasz z tymi swoimi koleżaneczkami?

– Co niby wyprawiam? – Karolina zaryzykowała bezczelność w nadziei wywołania prawdziwej awantury, którą wolałaby sto razy bardziej od takiej rozmowy. Ale ojciec nie dał się sprowokować.

– Wagarujesz. Uciekasz z lekcji. Ty, piątkowa uczennica. Za chwilę ósma klasa i egzaminy do liceum, a ty sobie tu wagarujesz jakby nigdy nic. Jakbyście nie miały całego popołudnia, żeby się szlajać po osiedlu. Nic tylko się smarujecie tymi szminkami, wyglądacie jak z bazaru, i paradujecie pod domami chłopaków. Trudno, mówię sobie, taki wiek, przejdzie, wszystko możesz robić, byleby w szkole było w porządku. A ty mi jeszcze chodzisz na wagary.

– Ale tato...

– Zawiodłaś mnie, zawiodłaś na całej linii. Powiedz mi, kto to wymyślił, te wagary?

– Nie wiem.

– A ja chyba wiem. – Ojciec zacisnął mocniej szczęki. – Ta mała lafirynda jest rozpuszczona jak dziadowski bicz przez dziadków, jej matka chleje bez opamiętania, ojciec nie wiadomo gdzie. Gówniara nie ma męskiej ręki, tylko cała rodzina koło niej skacze, to i głupie pomysły przychodzą jej do głowy. Nie chcę, żebyś się z nią spotykała. Zaraz po szkole masz wracać do domu i co wieczór pokazywać mi zeszyty. Myślałem, że jesteś prawie dorosła, że mogę ci zaufać, ale widzę, że trzeba cię kontrolować jak dziecko. A jeśli jeszcze raz zobaczę tę wypacykowaną lolitkę w moim domu, to źle się to dla ciebie skończy, moja panno.

– Ale tato, to moja przyjaciółka... – Karolina nienawidziła się za to, że łzy same napływały jej do oczu, za smarki wzbierające zupełnie niedorośle gdzieś w nosie i gardle, wreszcie za piskliwy, pokorny ton głosu.

– Nie życzę sobie takich przyjaciółek w moim domu.

Konwulsyjny skurcz jeszcze raz przeleciał przez szczękę ojca, ale ten opanował go, otworzył usta, jakby chciał jeszcze coś dodać, jednak machnął ręką i na znak, że dyskusja zakończona, wyszedł z pokoju, zamykając za sobą drzwi. Karolina wiedziała, że za chwilę usłyszy trzask furtki i szczekanie Berty, chudej podpalanej kundlicy, biegnącej obok czarnego roweru ojca w stronę lasu. Zawsze to robił: zawsze po kłótniach z matką czy awanturze w pracy wsiadał na rower, w starym przepoconym dresie i trampkach, i jechał przed siebie, w las, w towarzystwie rozszczekanej Berty, strzygącej spiczastymi, nieobciętymi uszami na każdy odgłos, goniącej zające i obce rowery w lesie, aż wreszcie po godzinie czy dwóch wracali, oboje zdyszani. Berta kładła się na brzuchu pod budą, przy furtce i ogrodzeniu z siatki, wywalając długi różowy jęzor i dysząc ciężko, ojciec szedł pod prysznic i wyłaniał się z łazienki pachnący, wypoczęty, jak gdyby cała wściekłość uszła z niego razem z potem w leśne powietrze, i nie wspominał już ani słowem o przykrym zajściu. Zamiast tego krzątał się po kuchni; szczęka nieruchoma, zapach jajecznicy albo smażonych parówek z cebulą dochodzący z wielkiej przypalonej patelni. Karolina żałowała, że sama tak nie potrafi – zrzucić z siebie złość, zamiast wysmarkiwać ją w chińską chusteczkę z bezsilnym płaczem, zamiast przemykać się potem korytarzem do łazienki, żeby zmyć z paskudnie zapuchniętych czerwonych oczu resztki tuszu do rzęs ukradzionego matce.

Ledwie ojciec odjechał, zadzwonił dzwonek do furtki. Karolina postanowiła go zignorować, nie chciała pokazywać się nawet listonoszowi w tym stanie, z czerwonym nosem i peweksowską maskarą Margaret Astor spływającą po obu stronach aż do ust, ogryzionych do krwi. Dzwonek jednak dźwięczał natarczywie modną melodyjką i było jasne, że przybysz nie odejdzie, dopóki nie uzyska całkowitej pewności, że dom jest pusty. Karolina powlokła się do furtki tylko po to, żeby zobaczyć tam Beatę – lśniącą, czystą, wymalowaną jak na wesele i potrząsającą lakierowaną grzywką.

– Awantura ze starym? – zapytała Beata, powstrzymując się nawet od zwykłej od niedawna złośliwości. – Sprał cię?

– Gorzej – Karolina pociągnęła nosem. – Wściekł się, powiedział, że go zawiodłam, i zabronił mi się z tobą spotykać.

Beata pochyliła się nagle jak uderzona i spojrzała na Karolinę spod grzywki opadającej na czoło.

– Wiesz co, ja tylko zebrałam ochrzan od babci... że skończę jak moja matka i takie tam... Ale powiem ci, wolałabym mieć ojca, który by mi robił awantury, niż nie mieć wcale.

– Jak to, „nie mieć wcale"? – Karolina wytrzeszczyła oczy. – A co z marynarzem?

– Zapomnij, co powiedziałam, dobrze? I pod żadnym pozorem nie mów tego nikomu – w oczach Beaty zalśniło coś nieprzyjemnego – bo cię zabiję, nie żartuję. Albo lepiej – uśmiechnęła się złośliwie – powiem Tomkowi, że kochasz się w nim, i pokażę mu ten wiersz, który napisałaś: „Kiedy widzę twoje oczy zielone, rozmarzone...". Dobra, nie bij – uchyliła się przed atakiem przyjaciółki. – Chodź, mam pomysł, pojedziemy sobie na bazar Różyckiego.

– Ale ja nie mam forsy...

– A kto powiedział, że forsa jest potrzebna? Bilet masz?

– Mam.

– No to jedziemy.

Karolina sama nie wiedziała, jak to się stało, że otoczył je tłum dorosłych patrzących wrogo spode łba i wygrażających pięściami. Stały w samym środku bazaru, tego zakazanego królestwa obfitości, w alejce, która dawała niewiele miejsca na przejście pomiędzy straganami z mnóstwem ciuchów z tureckiego wycieranego dżinsu i chińskiej bawełny. Po jednej stronie wabiły ustawione rzędami buty – czarne, czerwone, białe, wszystkie w szpic i na obcasach, lakierowane, ozdobione kokardkami i cekinami. Po drugiej zwieszały się z przepierzenia ustawionego na boku straganu komunijne suknie jak stroje dla miniaturowej panny młodej, wianki, welony i burza białych koronek i falban, a wprost przed nimi piętrzyły się węgierskie sznurowadła, gumki do włosów, spinki w kształcie półksiężyców o ostrych zębach, elastyczne opaski w gwiazdki, kropki i serca, okrągłe plakietki z wizerunkami zespołów muzycznych albo napisami jak „I love New York", abstrakcyjnymi w szarej rzeczywistości. Karolina wręcz czuła, jak kilka kolorowych gumek pali ją w kieszeni spodni, i nie potrafiła zrozumieć, dlaczego mogła zrobić coś tak głupiego – po prostu sięgnąć do sterty i prawie na nie nie patrząc, wpakować do kieszeni gumki razem z przypinaną plakietką z lekko spłowiałym od leżenia na słońcu Shakin' Stevensem szczerzącym sztuczne białe zęby.

Zerknęła na Beatę w nadziei na ratunek. Ta jednak patrzyła hardo przed siebie, zaciskając pięści w kieszeniach dżinsów na jakimś równie bezużytecznym i do niczego niepotrzebnym towarze, i zawzięcie wbijała czubek czarnego pantofelka w szparę między krzywymi płytami chodnika.

Nie było drogi ucieczki, bo w którąkolwiek stronę by się odwróciły, naprzeciw stała gruba, mocna baba o spalonej słońcem twarzy uwieńczonej wielkim kokiem tlenionych włosów. Baby klony w krzykliwych ubraniach i z metalicznie różowymi paznokciami, baby mielące pomiędzy złotymi zębami zduszone przekleństwa. Niektóre baby spiesznie powracały do swoich straganów, żeby krzykliwie zachęcić kobiety, które przystawały na widok zbiegowiska, do zakupu swoich towarów, ale na miejsce tych, które odeszły, zaraz pojawiały się inne. Po minucie, a może po godzinie – Karolina nie miała pojęcia, ile to trwało, ale jej biały chiński podkoszulek zdążył nasiąknąć potem na plecach i pod pachami pomimo chłodnego wiatru, a dłonie w kieszeniach zdawały się pływać i pot nieprzyjemnie drażnił ogryzione skórki wokół paznokci pomalowanych równie tandetnym różem jak u bazarowych przekupek – pojawił się wreszcie postawny mężczyzna w brązowej, cinkciarskiej skórzanej kurtce z kieszeniami i zamkami błyskawicznymi na każdym skrawku wolnego miejsca, w lotniczych okularach przeciwsłonecznych, na które spadała przydługa grzywka tlenionych włosów nie do końca zakrywająca paskudną szramę na czole. Za mężczyzną dostrzegły skraj szaroniebieskiego munduru. Milicjant został nieco w tyle, pozwalając potężnemu torować sobie drogę przez tłum.

– No, teraz to ojciec cię spierze, nie ma wyjścia – szepnęła Beata.

Jednak ojciec, kiedy już przyjechał na komendę milicji i odebrał dziewczyny siedzące na niewygodnych, drewnianych krzesłach, nie sprał nikogo. Wepchnął je tylko do samochodu, w którym siedzieli stłoczeni dziadkowie Beaty, niezdolni wykrztusić słowa. Ojciec też bez słowa przejechał całą, długą jak wieczność ulicę aż do skrętu na osiedle, zatrzymał samochód pod domem Beaty, otworzył drzwi babci, która tylko potrząsała głową, jak gdyby nie mogła uwierzyć w to, co się wydarzyło, a samą Beatę przytrzymał za ramię, kiedy wysiadała.

– Nie chcę cię więcej widzieć obok mojej córki – powiedział. – Skończysz w kryminale albo pod latarnią, jest mi to obojętne, ale bez Karoliny. Zrozumiano?... A ty – odwrócił się w stronę córki, znowu zapłakanej, znowu z tuszem ściekającym po policzkach – nie wychodzisz z domu do odwołania. Szkoła, lekcje, spać.

PALACZKA

Kiedy siedziałam na drewnianym krześle przed gabinetem dyrektorki, zrozumiałam mniej więcej, co mógł czuć mój ojciec dwadzieścia lat temu, gdy odbierał nas, wystraszone i zaryczane bazarowe złodziejki gumek, z rąk postawnego faceta ze szramą nad okularami przeciwsłonecznymi i sztywnego młodego milicjanta, który chyba nie wiedział, co z nami począć. Geny ojca kazały mi kurczowo zaciskać szczękę i rzucać głową na bok w poczuciu niedowierzania i złości. Zabawne, że wszystko, co po nim zostało, to takie gesty, odruchy utrwalone w genach albo przez lata nieświadomego naśladownictwa i kilka rozsypanych cech – moje kocie oczy, kształt nosa Weroniki, chód mojego brata. Za mało.

Drzwi do gabinetu uchyliły się. Weszłam tam, ciągnąc moją córkę za rękę, boleśnie ściskając jej chudy nadgarstek. Dyrektorka już siedziała na swoim miejscu, za ogromnym biurkiem, w pokoju, który w zamierzeniu miał chyba onieśmielać uczniów i rodziców w zastępstwie właścicielki – bo sama pulchna, farbowana na rudo kobieta w wieku bliższym pięćdziesiątce niż czterdziestce nie była w stanie onieśmielić nikogo starszego od dwunastolatka.

– Tylko raz się zaciągnęłam! – broniła się piskliwie Weronika.

Mimo usilnych prób nie mogłam wyobrazić sobie papierosa w jej chudych palcach z obgryzionymi paznokciami pomalowanymi na jakiś zupełnie niekosmetyczny kolor, dymu wydobywającego się spomiędzy palców i z odrobinę za szerokich ust, zza zębów prostowanych aparatem ortopedycznym z brylancikami. Nawet kiedy dyrektorka położyła na biurku dowód – pomiętą paczkę Marlboro light z kilkoma pogiętymi i pokruszonymi papierosami wewnątrz – trudno mi było uwierzyć.

– To był pomysł Zuzki! – broniła się przede mną i to samo powtarzała parę godzin później.

Zza drzwi jej pokoju dobiegał mnie podniesiony głos Piotra i wysoki, bliski płaczu ton głosu córki.

– Szlaban! – wrzasnął Piotr. – I nie chcę tej Zuzki więcej widzieć w tym domu!

Trzasnęły drzwi, płacz za nimi stał się ledwie słyszalny. Prawie siłą powstrzymałam się, żeby nie wstać od kuchennego stołu i nie pobiec utulić mojej małej, płaczącej dziewczynki. Jednak małej dziewczynki już nie było i musiałam się z tym pogodzić. Jej miejsce zajęła nastolatka z papierosem w zębach, uzbrojona w trzy grymasy twarzy stosowane na przemian: nadętą i obrażoną minę, bezczelny uśmieszek oraz „zaraz będę płakać".

Piotr nie wyczerpał całego zapasu złości na kłótnię z córką. Dostrzegłam to, kiedy wszedł do kuchni. Nie odzywałam się, żeby nie prowokować sprzeczki, ale widziałam, że zbiera siły do ataku na mnie. Zawsze byłam ciekawa, czy przeciwników na sali sądowej i na posiedzeniach rady też atakuje w ten sam sposób – najpierw zbiera myśli, a potem rzuca jedno oskarżycielskie zdanie. Tak jak teraz.

– Gdybyś poświęciła choć trochę uwagi własnej rodzinie, może nasza córka nie paliłaby papierosów w szóstej klasie podstawówki! – wybuchnął.

– Co masz na myśli? – broniłam się. – Jak mam jej poświęcać uwagę, skoro pracuję, zajmuję się domem, a ona jest wiecznie nieprzystępna, zamknięta w pokoju albo jej nie ma.

– Pracujesz, dobre sobie! Wypisujesz te jakieś pierdoły o tuszach i szminkach, a teraz jeszcze ta historia z Leśnego. Nawet jak jesteś w domu, to jesteś nieprzytomna i myślisz o czymś innym. Zajęłabyś się własną rodziną, a nie jakimiś historiami sprzed dwudziestu lat!

– To dla mnie ważne – powiedziałam spokojnie. – To część mojej historii, część mnie, moje problemy. Być może to zaważyło na całym moim życiu.

– Problemy! – parsknął ze złością. – Problemy badylarskich i ubeckich córeczek, wychowanych w domkach na eleganckim osiedlu! Jadłyście sobie czekoladki z Peweksu, kiedy moja matka stała w kolejce po mortadelę na kartki, żeby było co zjeść na obiad! Co ty wiesz o problemach?

To nie był pierwszy raz. Przyzwyczaiłam się do takich zarzutów ze strony męża, który miał zupełnie inne przeżycia z czasów komuny. Wychowany w jednym z tysięcy takich samych bloków, w mieszkanku, które ledwie wystarczało, żeby pomieścić wszystkie książki jego ojca historyka. On był prawowitym dzieckiem PRL-u, jego wersja historii – z kolejkami po mortadelę na kartki, z ubeckimi nalotami w domu i ZOMO przetrząsającym w stanie wojennym torbę jego matki w poszukiwaniu bibuły, z czuwaniem w kościele po zabójstwie księdza Popiełuszki, z darami z Kościoła i z noszeniem topornych juniorek do zdarcia, bo innych butów nie było – była oficjalna, obowiązująca, uznana. Moja wersja, luksusowa i niepodobna do filmów Barei, była z góry skazana na potępienie, zbyt mało w niej szarości i grozy. Moje problemy, jakkolwiek poważne by mi się wydawały, mogły jedynie zostać uznane za dylematy rozpuszczonej dziewczynki z rodziny aparatczyka. Przecież ludzie, którzy żyją w dobrych warunkach, nie mają prawa do problemów ani do własnych historii. Powinnam była o tym wiedzieć, to samo przecież opisuję co miesiąc w gazecie. Poukładane, nudne życie zamożnych ludzi w ładnych mieszkaniach warte jest wzmianki dopiero wtedy, gdy zaczynają zbierać pieniądze na leczenie nowotworu u dziecka albo zabijają staruszkę nożem. Być może samobójstwo Anety doczekałoby się dzisiaj katastroficznego programu w prywatnej stacji telewizyjnej, gdzie prezenter histerycznym głosem zadawałby pytania o winę i odpowiedzialność; ale już życie moje i Beaty nie zasługiwałoby nawet na przypis, chyba że pogardliwy. To dlatego zamożne gospodynie domowe wpadają w depresję – żeby mieć prawo do własnej historii usprawiedliwionej chorobą. Mają zaświadczenia od psychiatrów na to, że wolno im wzbudzać cudze zainteresowanie.

Już w liceum pokutowałam za stanowisko ojca, dopóki żył, a teraz miałam do końca życia pozostać dla własnego męża rozpuszczoną, ubecką córeczką, chociaż nigdy nie dowiedziałam się, czy to, co powiedziała babcia, było prawdą. Babcia lubiła mówić w gniewie straszne rzeczy, a później, inaczej niż inni cholerycy, nie czuła się winna, nie przepraszała. Zaciskała zęby, gromadziła w sobie jad i upierała się przy swoim, chociaż nigdy więcej nie powtarzała oskarżeń. Mimo to piętno pozostało, miałam pokutować za grzechy ojca. Do siódmego pokolenia nie miało mi być wybaczone normalne dzieciństwo w biednym kraju i to, że w dobie kolejek i kartek miałam czelność przeżywać normalne, dziewczyńskie, nastoletnie kłopoty.

– To też problemy – postanowiłam bronić się przed zarzutami. – Nie tak poważne jak twoje, ale jednak.

– Opamiętaj się – powiedział tylko Piotr – nikt nie jest ciekaw twoich problemów sprzed dwudziestu lat, a ty też powinnaś raczej zająć się tym, co się dzieje teraz, niż jakimiś fanaberiami z przeszłości.

Kiedy nasza córka wyszła wreszcie z pokoju, zastała nas jak co dzień: milczących, pochłoniętych swoimi sprawami.

Ja na laptopie składałam kolejne zdania o czyjejś historii uprawnionej do bycia historią, bo tragicznej i brudnej; Piotr powoli, metodycznie przeglądał żółte strony „Rzeczpospolitej" w poszukiwaniu nowości prawnych. W telewizji zaczynała się prognoza pogody. Zapowiadano śnieg.

Jedyne dwie osoby, dla których zdarzenia sprzed prawie dwudziestu lat nie były błahe, lecz zasługiwały na rozważania, zgodziły się na spotkanie bardzo szybko. Wyglądało na to, że sprawa Anety po latach nikłych kontaktów, kartek wysyłanych na święta i okazjonalnych spotkań na urodzinach dzieci, zbliży nas na nowo. Tym razem bez lalek, bez wycinania fotek zespołów z kolorowych gazetek, bez plotkowania o tym, kto się z kim całował i jak, bez całej tej nastoletniej misiowo-różowej otoczki, spotkałyśmy się w swarzędzkiej kuchni Gośki. Nieskazitelna Beata jak zwykle w pozie modelki na kuchennym krześle, ja przycupnięta na brzeżku krzesła i Gośka, na swoim terenie, pochłonięta domowymi rytuałami: kawa, ciasto, kanapki, po kieliszku wina. Głosy dzieci dobiegały z góry. Proponowałam Weronice, żeby pojechała ze mną, ale odmówiła, nadąsana i zła po awanturze o papierosy. Nie lubiłam siebie za ulgę, którą poczułam, kiedy odrzuciła moją propozycję. Moja rodzina nie pasowała do Leśnego, na Leśne jeździłam najchętniej zupełnie sama, bo oglądanie go przez pryzmat spojrzeń mojego męża i córki degradowało je do jeszcze jednego brzydkiego osiedla na peryferiach stolicy, odbierało mu groźny, bagienny urok, jakim dla mnie emanowało.

– Nie rozumiem – powiedziała Beata, sącząc wino małymi łykami – dlaczego ty tak koniecznie chcesz szukać Krystiana. Przecież wszystkie trzy wiemy, co się stało. Po co on ci jest potrzebny?

– Nie wiem – odpowiedziałam zgodnie z prawdą.

Nie wiedziałam, dlaczego czułam, że koniecznie powinnam go odnaleźć, i chyba bałam się przyznać sama przed sobą, że szukałam tylko pretekstu do spotkania. Sprawa Anety dałaby mi wreszcie długo oczekiwany powód, żeby go odszukać, alibi dla moich wiecznych pytań: „Nie wiesz, co się dzieje z Krystianem?", zadawanych wszystkim bliższym i dalszym znajomym. Gdybym odnalazła go jako dziennikarka rozwiązująca tajemnicę wydarzenia sprzed lat, wyglądałoby to mniej głupio, niż gdybym stanęła w jego drzwiach jako kobieta, którą kilkanaście lat temu zostawił po jednej czy dwóch wspólnych nocach. Wtedy musiałabym się przyznać, że jako jedyna w klasie, w szkole, nie wyleczyłam się z tego szczenięcego zadurzenia, z rysowania serduszek z literą K i z myślenia o nim... co jakiś czas, coraz rzadziej, ale jednak... gdy tymczasem wszyscy dookoła dorośli.

– Może on wie coś więcej – zaryzykowałam, ale Beata roześmiała się niezbyt wesoło.

– Jak ma wiedzieć więcej niż ja, skoro to ja go do tego namówiłam?

– Jak go namówiłaś?

– Swoimi sposobami – Beata uśmiechnęła się leniwie. – Kiedy facet ma szesnaście lat, to nie myśli głową, tylko zupełnie czymś innym...

Musiałam mieć dziwny wyraz twarzy, bo wykrzyknęła:

– Nie, proszę, nie mów, że nadal, po tylu latach jesteś zazdrosna?

– Nie jestem – broniłam się, czując, jak bardzo śmiesznie i nieporadnie to brzmi.

– O co ci chodzi, przecież w końcu byliście razem przez jakiś czas!? To ja powinnam być zazdrosna, nie sądzisz?

– No dobra – przerwała nam Gośka, stawiając na stole kolejną tacę z ciastem. Miałam wrażenie, że trzy dni piekła i gotowała, żeby przygotować się na to spotkanie, i znowu przypomniał mi się sernik jej matki. – Wracając do tematu, jak myślisz, co on może wiedzieć?

– Myślę, że... Nie wiem, mógł jej przecież coś powiedzieć, prawda? Albo ona mogła coś powiedzieć, czego my nie słyszałyśmy. Coś mogło się wydarzyć oprócz tego wszystkiego. Coś musiało się wydarzyć. Nie wierzę, że dziewczyna, którą molestuje najprzystojniejszy facet w szkole, facet, na którego widok wszystkie laski mają mokro w majtkach, jeśli taki... idol dobiera się do niej, nawet w chamski sposób, po zdarzeniu idzie do domu, wsiada na rower i jedzie się zabić, i to zabić w najgłupszy możliwy sposób!

– Jasne, że nie wierzysz – parsknęła Beata. – Tobie by się pewnie podobało i piszczałabyś o jeszcze.

– Aneta była religijna, pamiętacie? – wtrąciła Gośka znad kawy. – Może... nie, to głupie.

– Co głupie? Mów, po to tu jesteśmy, żeby nareszcie powiedzieć sobie wszystko, nie udawać, że nic się nie stało i że spotykamy się na kawkę jak stare przyjaciółki.

– Może jej też się podobało i się przeraziła.

Zapadła cisza, w której słychać było tylko podzwanianie widelczyków o talerze. Nagle Beata podniosła głowę znad ciasta i spojrzała na mnie badawczo. Po chwili powiedziała:

– Ty nie wierzysz, że Aneta popełniła samobójstwo, prawda? To o to w tym wszystkim chodzi?

– Nie wierzę – przyznałam. – Czytałam jej pamiętnik – dodałam i opowiedziałam obu kobietom wszystko, co znalazłam w zeszycie oklejonym taśmą, aż po zakończenie. – Pisała o upokorzeniu, o tym, że przekonała się, do czego naprawdę jesteśmy zdolne... ale ani słowa o śmierci, o rozpaczy, o samobójstwie. Skończyła tak, jakby następnego dnia miała napisać o Wasylowej od chemii i o czwórce z polskiego.

– No właśnie. Była religijna, chodziła na tę swoją Rodzinę Rodzin czy jak to się tam nazywało. Nawet parę razy poszłam z nią, ale wolałam spotykać się z Tomkiem, odechciało mi się. Nie napisała w pamiętniku nic o śmierci. Miała plany, chciała latać, chciała iść do technikum, a potem na politechnikę – wyliczała Gośka. – Była zrównoważona, zabawna.

– Dlaczego właściwie tak jej nienawidziłaś? – zapytałam Beatę.

Długo nie odpowiadała, a kiedy wreszcie się odezwała, powiedziała tylko:

– Och, nie wiem. Nie pamiętam. Chyba po prostu nie pasowała do nas... Była jakaś taka, nie wiem, brzydka i nudna. Zawsze się zastanawiałam, po co ją ze sobą ciągasz. A potem doczepiła się do mnie i... nie wiem, tak jakoś wyszło. – Wzruszyła ramionami, a broszka motyl przypięta do obcisłego, czarnego golfu na wysokości piersi poruszyła się w górę i w dół. – Co ja ci teraz mogę powiedzieć? Miałam piętnaście lat, w tym wieku się nie myśli.

Kiedy Beata już wyszła, Gośka posprzątała ze stołu i zaproponowała:

– Przejdźmy się trochę.

Zgodziłam się.

– Wychodzimy! – krzyknęła na górę do dzieci, próbując się przebić przez ryk telewizora, na którym Tomek, samotny i ostentacyjnie obrażony, z puszką piwa w ręku oglądał „Uwagę", udając zainteresowanie kotami Violetty Villas.

Wyszłyśmy na zewnątrz. Śnieg zakrywał wszystkie brudy Leśnego, niemal można było uwierzyć, że to miłe, podmiejskie osiedle nie skrywa żadnych tajemnic. Jak na amerykańskich filmach o Bożym Narodzeniu – śnieg oświetlony latarniami, rozjarzone okna małych domków, dekoracje świąteczne. Za każdym oknem uśmiechnięta rodzina zjada w skupieniu indyka z żurawiną albo, w wersji polskiej, grzybową i pierogi. Brakowało tylko wieńców z ostrokrzewu na drzwiach i sań Mikołaja w ogródkach, w których zamiast reniferów wznosiły się skalniaki, gipsowe poidełka dla wróbli, a gdzieniegdzie krasnale i sarenki przysypane śniegiem. Biały puch skrzypiał pod naszymi butami jak dwadzieścia lat temu, kiedy wracałyśmy ze szkoły albo z lodowiska, zmarznięte, rozchichotane, z czerwonymi nosami i palcami u rąk. Doszłyśmy już prawie do kanałku, pokrytego teraz cieniutką warstewką lodu i szemrzącego cichutko pod bezlistnymi drzewami, kiedy Gośka wreszcie przemówiła:

– Ja też nie wierzę w samobójstwo Anety.

– Dlaczego? – zapytałam, zdziwiona tym niespodziewanym poparciem przyjaciółki.

– Powiedzmy, że... – zawahała się – mam podstawy przypuszczać, że się nie zabiła. Zresztą, kto normalny topiłby się w kanałku? Gdybym ja wtedy chciała się zabić, po prostu bym się powiesiła albo podcięła sobie żyły w łazience, a ty?

– Masz rację – potwierdziłam. – Mnie też ten kanałek nie dawał spokoju. Idiotyczny sposób.

– No właśnie. Poza tym chyba jeszcze czegoś się domyślam. Nie proś nawet – powiedziała zdecydowanie, potrząsając głową w czerwonej czapce – nie powiem ci. Jeszcze nie, bo nie wiem na pewno.

– Ale czemu nie powiesz tego Beacie? Choćby tego, że się domyślasz?

Gośka popatrzyła na mnie twardo, z dziwnym wyrazem twarzy. Grube, dobroduszne osoby nie potrafią wyglądać naprawdę groźnie, dlatego dopiero po chwili odgadłam, że tym, co wykrzywiało jej nieduże usta, była czysta nienawiść.

– Nie powiem, bo podoba mi się, że się boi. Niech się jeszcze poboi, niech zobaczy, jak to fajnie się bać. Nie podoba ci się, że to nareszcie ona się boi, a nie my?

Kiedy odważyłam się znowu spojrzeć na twarz Gosi, stałyśmy już w miejscu, które znałam tak dobrze, że rozpoznałabym je nawet za sto lat. Tuż przed nami, po prawej stronie, wyrastał biały dom z wielospadowym dachem ogrodzony wysokim płotem z ceglanych słupków przedzielonych żelaznymi prętami. W okienku na mansardzie paliło się światło. Gdzieś w tamtym pokoiku, pod warstwami białej farby albo tapety, nasze inicjały wyryte w cegłach miały trwać już na zawsze.

Przez rozświetlone okno przesunął się cień, zarys sylwetki. Wstrzymałam oddech tak jak dawno temu, jakbym znowu przejeżdżała tędy na rowerze i przystawała wieczorem, żeby zerknąć w to okno, a potem naciskała pedały damki z całych sił, pełna radości i upokorzenia zarazem, z jedną myślą w głowie: widział mnie!

– Możemy zadzwonić do furtki – powiedziała Gośka. – Wiem, że jego ojciec nadal tu mieszka. Jak chcesz, możesz też zatelefonować, kiedyś spisałam sobie jego numer.

– Dziewiętnaście zero dziewięć sześćdziesiąt pięć – powiedziałam bez namysłu.

Cyfry to moi przyjaciele, nie zapamiętuję twarzy, ale cyfry zostają w mojej głowie na zawsze. To one mnie ratują, kiedy mi źle – wtedy liczę, przestawiam cyfry, wyciągam średnie i znajduję wspólne mianowniki, aż odnajdę spokój. Powinnam była zostać księgową, żyłabym w krainie wiecznego spokoju i szczęśliwości, otoczona wirującymi cyframi. Litery nie mają w sobie tyle mocy.

– Ty naprawdę pamiętasz? Po tylu latach? – Gośka wlepiła we mnie szeroko otwarte oczy.

– Naprawdę.

Wzruszyłam ramionami. Nie mogłam jej powiedzieć, że przez te wszystkie lata obracałam ten numer w pamięci niezliczoną ilość razy, zastanawiając się, czy sięgnąć po telefon, i że zawsze cofałam rękę już wyciągniętą do przycisków aparatu. Nie musiałam jej tego mówić – wiedziała.

– Zadzwonię z domu – powiedziałam tylko.

Nie było łatwo zatelefonować pod ten numer. Trzymałam w ręku służbową, srebrną komórkę ze zdjęciem Weroniki na wyświetlaczu. Czy to możliwe, abym była tak płytka i banalna, że nie mam pomysłu na lepszą tapetę niż najmniej oryginalny obrazek z możliwych – zdjęcie dziecka? Na ekraniku samsunga Piotra, płaskiego jak kromka chrupkiego pieczywa bez kalorii, pyszni się panorama Warszawy widoczna z czterdziestego piętra biurowca przy rondzie ONZ, na starej nokii mojej córki dwa misie przytulają się czule na tle czerwonego serca. „Jeśli chcesz ściągnąć taką tapetę, wyślij sms na numer 7511, jedyne 5 złotych plus VAT!" – krzyczy reklama na ostatniej stronie mojej gazety, a ja zamiast misiów z napisem LOVE i widoku od Bielan po Kabaty obnoszę fotografię nadąsanej nastolatki. Schowałam się w pokoju Weroniki, korzystając z tego, że akurat oglądała w telewizji coś głośnego, kolorowego i migającego z prędkością stroboskopu. Przysiadłam na jej niechlujnie zasłanym łóżku i poczułam się, jakbym wróciła do własnego dziecinnego pokoju, w którym ogromny Shakin' Stevens patrzył na mnie przekrwionymi oczami z plakatu nad łóżkiem; obleśny, stary, siwiejący satyr nad wersalką niewinnego dziecka. Moja babcia wzdrygała się na jego widok i żegnała znakiem krzyża, a ojciec parskał z niechęcią, ale gdy tylko kazali mi zdjąć plakat, wpadłam w histerię i przyrzekłam wszystkie możliwe dobre uczynki, byleby móc spać pod tym spojrzeniem. Wieczorem, kiedy przebierałam się w enerdowską koszulę nocną w motylki, odwracałam się wstydliwie tyłem do plakatu. W pokoju Weroniki ze ściany patrzy ponury, rozczochrany niemiecki gówniarz przebrany za dziewczynę i chuda, naoliwiona Murzynka z burzą czarnych loków spadającą na oczy. W moim dawnym pokoju wykręcałabym numer na szarym aparacie telefonicznym z tarczą, a obok siedziałaby Gośka albo Beata, rzucając potępiające spojrzenia. Aneta – nie, jej nigdy nie przyznałabym się, że mam zamiar zatelefonować do chłopaka. Dziewczyny żartowałyby ze mnie i zjadały moje cenne peweksowskie słodycze kupione za bony, które dostałam od wujka na Gwiazdkę czy imieniny, aż wreszcie, zanim odważyłabym się wykręcić numer, któraś szepnęłaby potępiająco:

- Wstyd, tak się narzucać facetowi.
- Pomyśli, że jesteś łatwa.
- I nigdy już na ciebie nie spojrzy.
- Jak mu zależy, to niech sam do ciebie zadzwoni.

Po paru minutach, kiedy zawstydzona przez koleżanki, które w założeniu miały mnie wspierać w telefonowaniu do kolegi z klasy, a zamiast tego upokarzałyby mnie i nabijały się ze mnie oraz wpajały mi kodeks honorowy Leśnego, dający się streścić w jednym zdaniu: „Nigdy nie okazuj chłopakowi zainteresowania, bo będzie cię miał za szmatę", rzuciłabym słuchawkę na widełki. Wtedy któraś, pewnie Beata, zaproponowałaby:

- To teraz poróbmy kawały.

I dzwoniłybyśmy pod jakiś numer wzięty z głowy, a gdyby ktoś odebrał, przedstawiłybyśmy się śmiertelnie poważnym tonem i prosiłybyśmy do telefonu Pawła, żeby po chwili wybuchnąć niepohamowanym śmiechem nastolatek, rozsadzającym bębenki osobie na drugim końcu linii. Bezkarne czasy, kiedy telefony nie wyświetlały numerów połączeń przychodzących, a billing nie mógł wykazać rodzicom, kto nabił tyle na rachunku telefonicznym. Zaczęłam się zastanawiać, czy pokolenie mojej córki jeszcze robi takie kawały, i zorientowałam się, że – jak za dawnych czasów – siedzę pół godziny, gapiąc się w telefon, i próbuję wszelkimi sposobami odwlec chwilę, kiedy wreszcie usłyszę w słuchawce długi sygnał oznaczający wolną linię.

- Jestem dorosła, potrafię to zrobić – powiedziałam sama do siebie i zdecydowanym ruchem wcisnęłam klawisze.

Za pierwszym razem miły, automatyczny głos poinformował mnie, że numery zaczynające się od dziewiętnaście zostały zmienione w 2003 roku i że powinnam wykręcić osiemset dziewiętnaście. Za drugim razem, po kilku długich sygnałach, kiedy zgodnie z zasadą, żeby odczekać cztery dzwonki i rozłączyć się, już miałam wcisnąć czerwony przycisk, w słuchawce odezwała się kobieta, lekko zdyszana i sądząc po głosie, sporo starsza ode mnie.

– Pan Tadeusz nie podejdzie – poinformowała mnie, gdy tylko się przedstawiłam. – Nie czuje się najlepiej. Proszę zadzwonić z rana albo najlepiej niech pani przyjedzie – zawahała się na moment – może akurat będzie w nastroju do rozmowy.

Na moje nerwowe zaprzeczenia żachnęła się.

– Ależ skąd, co to za kłopot. Nikt go ostatnio nie odwiedza, to i chętnie pogada z panią, jak akurat będzie miał humor – zapewniła mnie.

Od chwili, gdy opuszczony dom zasiedliła rodzina Krystiana, widziałam go od wewnątrz tylko kilka razy, a i to zwykle stojąc w sieni. Najpierw kiedy z Beatą przychodziłyśmy do Krystiana niby to po zeszyty i książki, a w rzeczywistości po to, żeby Beata miała przyzwoitkę i zazdrosnego widza w jednej osobie. Ja stałam w sieni, a oni całowali się na powitanie. Filmowe pocałunki, nienaturalne – jak to potem określała moja przyjaciółka w rozmowach z innymi: „Nienaturalnie, całowaliśmy się nienaturalnie!". Kiedy zaczęli ze sobą sypiać, przestała mnie tam zabierać. Zachwycona widownia nie była jej już potrzebna, skończyły się też opowieści, zastąpiło je przewracanie oczami i wzdychanie, aluzje do dorosłości i niedorosłości. Później też zwykle stałam w sieni, czekając, aż Krystian włoży skórzaną kurtkę i wyjdziemy gdzieś, by być daleko od jego ojca. Samego ojca widziałam tylko dwa czy trzy razy: szczupły, siwiejący pan w okularach, zawsze w nienagannie skrojonym garniturze z eleganckiej wełny, typ wysportowanego amerykańskiego biznesmena; ewenement w czasach brązowych wyświeconych marynarek z poliestru, łysin i baczków, żółtawych koszul i skajowych teczek. Gdy chodziliśmy do szkoły, mógł mieć pięćdziesiątkę. Teraz więc, na widok starca skulonego w olbrzymim skórzanym fotelu, wstrzymałam oddech.

Pokój wyglądał jak dekoracja do filmu z lat osiemdziesiątych. Wątpię, czy zmieniło się tu cokolwiek od chwili, kiedy ciężarówka Star przywiozła ciężkie dębowe meble, a my cztery zza płotu z desek przyglądałyśmy się, jak mężczyźni w drelichach rozładowują kredensy i szafki z taką ostrożnością, jakby były to najcenniejsze dzieła sztuki. Wtedy też takie nam się wydawały, dzisiaj sprawiały wrażenie rekwizytów z innej epoki, z czasów, kiedy królowały boazerie i lustra w złotych ramach, poroża jeleni na ścianach i swarzędzkie rzeźbienia na meblach. Wszystko to znajdowało się w tym salonie, i to w nadmiarze. Każda rzecz z osobna ciężka, pozłacana albo rzeźbiona. Sam pokój wyglądał jak przeniesiony z blokowego M4, a żółte szybki z mrożonego szkła w białych drewnianych drzwiach prowadzących do ciasnego przedpokoju obitego boazerią tylko potęgowały to wrażenie.

Stary człowiek uniósł się lekko z przepastnego fotela z ciemnobrązowej skóry i gestem suchej dłoni pokrytej starczymi plamami wskazał mi miejsce na równie ciężkiej i równie archaicznej kanapie. Kobieta, która wpuściła mnie do domu, wysoka i koścista, w białym fartuchu zdradzającym, że nie jest gosposią, ale pielęgniarką, zaproponowała kawę. Przyjęłam zaproszenie z wdzięcznością, zastanawiałam się tylko, czy dostanę szklankę w srebrnym koszyczku z uszkiem, wypełnioną do połowy fusami, a w górnej części brązową wodą. Taka kawa pasowałaby idealnie do dekoracji. Może jeszcze torcik wedlowski albo kryształowa miseczka z mieszanką czekoladową i syfon bulgoczący wodą z kranu z bąbelkami.

Kiedy wniosła kawę – ku mojej uldze w ładnej porcelanie i bez fusów, za to aromatyczną i mocną – i kieliszek koniaku dla pana Tadeusza, starszy pan wyraźnie się ożywił.

– Więc jest pani dziennikarką – zagaił, a ja jak zwykle poczułam się niegodna tego określenia.

Przytaknęłam jednak, a on się rozpromienił. Gdy już wypytał o wszystkie szczegóły, odstawił kieliszek z koniakiem na blat lśniącej dębowej ławy i zapytał:

– A można wiedzieć, dlaczego zależy pani na rozmowie z moim synem?

Wiedziałam, że nie mógł mnie skojarzyć ani z pryszczatą piętnastolatką włóczącą się po osiedlu, ani ze studentką o włosach farbowanych na czarno, która raz czy dwa powiedziała mu dzień dobry.

– Piszę o sprawie z dawnych czasów – wyjaśniłam – a poza tym chodziłam z pana synem do szkoły i wydaje mi się, że mógłby w tej kwestii pewne rzeczy wyjaśnić.

Kiedy podniosłam wzrok na twarz starca, przeraziłam się. Przez chwilę byłam pewna, że nie żyje, zapadnięte oczy były zamknięte, z uchylonych ust ściekała kropla śliny. Miał wylew, przemknęło mi przez myśl, usiłowałam sobie przypomnieć zasady pierwszej pomocy, ale do głowy przychodził mi tylko manewr Heimlicha, zupełnie nieprzystający do sytuacji. Po kilku sekundach, w czasie których gorączkowo zastanawiałam się, czy zacząć krzyczeć, stary człowiek otworzył oczy, zamrugał, zamknął usta. Zrozumiałam, że musiał na chwilę przysnąć, tak jak moja babcia pod koniec życia. Jednak w jego bladoniebieskich oczach nie było już blasku. Wpatrywał się we mnie ze zdumieniem, jakby pięć minut wcześniej nie zadawał mi pytań o moją pracę.

– A ty skąd się tu wzięłaś? – zapytał wreszcie. – Ta złodziejka cię przysłała?

Zbaraniałam. Filiżanka stuknęła nieprzyjemnie, kiedy odstawiałam ją na dębowy blat, rozprysnęło się kilka kropel kawy.

– Jestem dawną znajomą Krystiana – wyjaśniłam ponownie, starając się opanować panikę. – Chciałam z nim porozmawiać, mówiłam.

– A, prawda! – pan Tadeusz machnął ręką niecierpliwie. – Zaczekaj tu, dziecko, Krystian zaraz zejdzie, pewnie siedzi w swoim pokoju, lekcje odrabia.

– Lekcje?

– Matura, poważna sprawa – starzec uśmiechnął się z dumą.

– Matura? – zapytałam z niedowierzaniem.

Poczułam się, jakbym znalazła się wewnątrz koszmarnego snu. Wszystko dookoła stało się niezrozumiałe, a straszny pokój niezmieniony od dwudziestu lat wydał mi się przez chwilę jakimś przerażającym wehikułem czasu. Może tu nadal trwają lata osiemdziesiąte, pomyślałam zupełnie idiotycznie, może ten dom trwa w jakimś innym, magicznym wymiarze, gdzie wszyscy nadal chodzimy do szkoły i zdajemy egzaminy, wyciskamy pryszcze i całujemy się „nienaturalnie".

Stary człowiek patrzył na mnie z zakłopotaniem.

– Może i nie matura, ech, pamięć już nie ta co kiedyś, a dzieci tak szybko rosną... – zafrasował się. – To wy już po maturze jesteście? – zapytał.

Zdusiłam oczywistą odpowiedź, że kilkanaście lat po!

– Pani Marysiu! – zawołał nagle i w drzwiach stanęła pielęgniarka. – Pani pójdzie na górę, zawoła Krystianka, koleżanka do niego przyszła!

Kobieta, zamiast wykonać polecenie, jakkolwiek dziwaczne mogło się wydawać, nachyliła się nade mną i wyszeptała:

– Niech pani już idzie. Nic się pani nie dowie dzisiaj.

– Nie namawiaj się z nią, złodziejko! – zagrzmiał zaskakująco donośnie starzec, podrywając się z fotela. – Wszystko wyniosłaś, ukradłaś, nawet mój złoty zegarek! – wycelował w nią oskarżycielsko chudy, drżący palec. Na nadgarstku zalśnił duży, złoty czasomierz. – Sprowadzasz sobie wspólniczki, knujesz za moimi plecami!

– Niech pani już idzie! – nalegała pielęgniarka.

Usłuchałam jej. Wstałam z kanapy, chcąc się pożegnać, ale po chwili zrezygnowałam z tego zamiaru, bo ojciec Krystiana nie zauważał mnie. Siedział w fotelu, dysząc ciężko, wyczerpany atakiem gniewu.

Wycofałam się na palcach do klaustrofobicznego przedpokoju, boazerie zdawały się napierać na mnie ze wszystkich stron. Kobieta po chwili wyszła za mną.

– Przykro mi z powodu tego wybuchu – powiedziała. – Jest coraz gorzej.

– Alzheimer? – zapytałam.

Przytaknęła ruchem głowy.

– Alzheimer, o tak. Zaczęło się po śmierci jego syna, zapominał kluczy, gubił się... – przerwała. – Co pani jest? – I nagle uderzyła się w czoło, gestem mówiącym wyraźnie: „Ale ze mnie idiotka!".

Widząc, co się ze mną dzieje, zaprowadziła mnie w głąb domu.

– Nic pani nie wiedziała? – spytała przyciszonym głosem, kiedy już siedziałyśmy w kuchni.

Zawroty głowy powoli ustępowały, ściany przestały się zamykać i dusić mnie. Śmierdziało walerianą, którą wmusiła we mnie – intensywny zapach, od którego koty wariują, zapach wydzielany przez mieszkania i torebki starych ludzi. Miałam wracać do domu z oddechem przesyconym zapachem leku tak jak moja babcia, jej walerianowe pocałunki pamiętam do dziś.

– Jak to się stało i kiedy? – zapytałam, gdy już mogłam mówić.

– Wypadek samochodowy, tak młodzi giną – powiedziała. – I narkotyki... Pojechali we czterech, z kolegami, tym starym mercedesem pana Tadeusza, gdzieś na wschód. Przeżył jeden, ten, co siedział z tyłu, ledwie go wyciągnęli. Przyszedł tu kiedyś, cały w bliznach od poparzeń, młody chłopak, a ledwo chodził. Starszy pan nie może sobie tego darować, bo wtedy jak Krystian odsiedział rok, obiecał sobie, że mu nie odpuści, że tylko studia i siedzenie w domu. I wreszcie się złamał, pozwolił mu pojechać. W tym samochodzie znaleźli cały zapas różnych narkotyków, a nie wiadomo, ile tego się jeszcze spaliło... – urwała. – Chyba już dość pani powiedziałam.

Kiwnęłam głową.

– Czy mogę wejść na chwilę na górę? – spytałam.

– Proszę bardzo, tyle że nic tam nie ma – zgodziła się obojętnie. – Starszy pan wszystko pooddawał na biednych. Powiedział, że nie będzie robił muzeum. Gabinet sobie urządził zamiast tego. Pani przyjechała ze Stanów na pogrzeb, chciała sobie zabrać jakąś pamiątkę po synu, jak zobaczyła ten pokój, to dostała histerii.

Kobieta miała rację. Pokój przypominał anonimowy biurowy gabinet – pod mansardowym oknem stało białe biurko z płyty pilśniowej, obok obrotowe krzesło, na biurku prosta lampka do czytania i kilka segregatorów. Nic nie przypominało pomieszczenia sprzed lat, w którym byłam dwa czy trzy razy, typowego pokoju studenta, zawalonego papierami, kserówkami, z porozrzucanymi na podłodze płytami CD – The Doors, The Rolling Stones, Led Zeppelin – i książkami, pełną po brzegi popielniczką i zmiętą paczką cameli.

Wyjrzałam przez okno, przesunęłam palcem po ścianie, na której, jak mi się zdawało, całe wieki temu wypisałyśmy nasze inicjały. Dom ponownie stał się opuszczony, mieszkał w nim jedynie duch i oszalały z rozpaczy starzec o pamięci poszarpanej i zasupłanej jak nitka ze sprutego swetra.

Jak dobrze, że nie spotkało to mojego ojca, myślałam w drodze powrotnej, gdy Leśne za zaparowanymi szybami autobusu powoli zmieniało się w skupisko anonimowych świateł. W jakiś sposób jego śmierć – szybka i nieoczekiwana, za kierownicą nowego służbowego auta, gdzieś na niemieckich drogach, we mgle, kiedy ostatnim, co widział, były światła reflektorów nadjeżdżającej z przeciwka ciężarówki, a ostatnim, co słyszał, zgrzyt giętej blachy – wydała mi się nagle bardziej godna niż powolne umieranie ojca Krystiana, w fotelu nad kieliszkiem koniaku, niż zbieranie resztkami sił okruchów pozostałej jeszcze pamięci pod czujnym okiem pielęgniarki. Ojcowie – tak mało obecni w naszym życiu, gdy byliśmy nastolatkami. Rozkazujący głos z sąsiedniego pokoju, powroty z pracy, jajecznica smażona na śniadanie, nakazy i zakazy, banknot tysiączłotowy wręczany na urodziny i długopis z zegarkiem przywieziony z Niemiec Zachodnich. Matki – gdzieś za ścianą, dotyk ręki na czole, odbieranie ze szkoły, wspólne zakupy w blaszaku. Ojcowie pojawiali się na krótkie chwile i znowu znikali, otoczeni nimbem tajemniczości, czasem bliscy, a czasami dalecy, jakby z innego świata. Matki rzeźbiły nas na swój obraz i podobieństwo, modelowały nasze figury własnoręcznie upieczonym sernikiem podtykanym, gdy odrabiałyśmy lekcje, czesały nasze włosy we francuskie dobierane warkocze i zwierzały nam się w nocy, siedząc na brzegach naszych łóżek, tak samotne, że ich jedyną powiernicą mogła być nastoletnia córka skulona pod kołdrą. Ojcowie zostawiali w nas blizny niezależnie, czy byli, czy ich nie było; pojawiali się na chwilę, żeby zaraz znowu zniknąć. Czy ktokolwiek może powiedzieć, że nie jest naznaczony przez matkę i ojca, przez każde na swój sposób? Ubeckie córeczki, badylarskie córeczki, nieślubne dzieci, córka tramwajarza – tym byłyśmy w dzieciństwie i miałyśmy się od tego nigdy nie uwolnić.

Mój mąż, który sam bezskutecznie próbował dorównać legendzie swojego ojca i przegrywał, jednocześnie bezlitośnie znaczył naszą córkę swoją aprobatą i dezaprobatą. Jednym spojrzeniem dokonywał tego, co ja z trudem osiągałam wielogodzinnymi monologami, jednym żartem wywoływał uśmiech, na który ja pracowałam mozolnie, czasami bez efektu.

– Śpi – powiedział tylko, kiedy wróciłam do zaskakująco cichego mieszkania. TVN 24 bez dźwięku, gazeta na kuchennym blacie, spojrzenie znad okularów. – Naprawdę myślę, że powinnaś przestać tam jeździć.

– Teraz już i tak nie mam po co – odpowiedziałam.

Beata nie wydawała się wstrząśnięta.

– Nie wiedziałam, skąd miałam wiedzieć? – rzuciła zniecierpliwionym tonem w słuchawkę. – No, ale to nawet lepiej, nie uważasz?

– Lepiej? – zachłysnęłam się z niedowierzania.

– Lepiej. Teraz powiemy tej Angelice, że to on był wszystkiemu winien, i mamy spokój. Napiszesz jej coś, wymyślisz. Masz wyobraźnię, jesteś w tym dobra.

Wyobraziłam sobie Beatę, jak odgarnia kosmyk blond włosów z czoła i wzdycha z ulgą, sprawa zamknięta. Nie mogłam w to uwierzyć.

– Naprawdę cię nie rusza, że on od tylu lat nie żyje?

– Nie. Co mam zrobić, rozpłakać się? Daj spokój, wiesz, ja naprawdę z tego wszystkiego wyrosłam. Teraz zależy mi tylko na tym, żeby to się za nami nie ciągnęło.

– Będzie się ciągnęło, dopóki nie dowiemy się, co się stało – powiedziałam.

– Dobra, poinformuj mnie, jak się czegoś dowiesz – ucięła. – Teraz nie mam czasu, wybacz. Marek organizuje dzisiaj wieczorem spotkanie dla wspólników i wszystko jest na mojej głowie.

Nie mogłam powstrzymać złośliwego uśmiechu, kiedy wyobraziłam sobie, jak Beata w roli dzielnej gospodyni organizującej przyjęcie, w wieczorowej sukni i makijażu dyryguje ludźmi z cateringu, pomocą domową i panią od sprzątania, jak musztruje nianię swojego późnego, wychuchanego dziecka, żeby zaprezentowała malucha jak cenny klejnot – na chwilę, by goście nacieszyli się jego widokiem – a potem schowała ten klejnot w dziecinnym pokoju na piętrze ogromnej dwuskrzydłowej rezydencji otoczonej hektarami parku. Mimo to nic nie powiedziałam, odłożyłam słuchawkę i wróciłam pamięcią do przeszłości.

1987: IT'S A SIN

Wrzesień jak zawsze przyszedł nagle i zaskoczył uczniów, tak jak zima co roku zaskakiwała drogowców, choć zjawiała się zawsze o tej samej porze. Koniec lata zastał Karolinę, gdy jechała na swoim czarnym rowerze ścieżką przy pegeerowskich polach. A może w chwili, gdy leżąc z Gośką na ściernisku, wpatrywały się w chmury i śpiewały na dwa fałszujące głosy przebój Madonny opowiadający o słonecznej wyspie gdzieś na morzach południowych. Przejeżdżające z rzadka wzdłuż pola samochody wzbijały tumany kurzu, Gośka gryzła słomkę z braku czegoś do jedzenia.

– Tomek wraca jutro znad morza, już się nie mogę doczekać – powiedziała leniwie.

Karolina westchnęła tylko. Z chwilą gdy Tomek i Gośka stali się parą, wszelkie nadzieje na zdobycie tego chłopaka spadły do zera. Musiała znaleźć sobie wreszcie nowy obiekt zainteresowań. Nie wypadało ścigać spojrzeniami chłopaka przyjaciółki, choćby się wiedziało, że te spojrzenia i tak są skazane na brak wzajemności. Sytuację pogarszał jeszcze fakt, że Tomek Karolinę najwyraźniej lubił, lubił jak kumpelkę, nie miał problemu z jej towarzystwem na wyprawach do kina i na miasto, śmiał się z jej dowcipów. Ale jego ręka

133

spoczywała bezpiecznie w dłoni Gośki, a zielone oczy patrzyły na nią z wyrazem zupełnie różnym od bezinteresownej sympatii, jaką dostawała Karolina. Dziewczyna próbowała co prawda zakochać się w długowłosym wokaliście grupy Bon Jovi, ale nie potrafiła wykrzesać z siebie niezbędnego entuzjazmu, mimo że olbrzymi plakat z jego podobizną zastąpił podstarzałego Shakin' Stevensa na ścianie jej pokoju. Jon Bon Jovi był żałośnie papierowy i daleki – w odróżnieniu od Tomka. Karolina zrobiła w myślach przegląd chłopców z klasy, później z równoległych klas, a potem braci koleżanek. Kiedy doszła do kuzynów i dalekich znajomych, jej posępne rozmyślania przerwał głos Anety. Przyjaciółka przyjechała na pole podekscytowana, rzuciła swój czerwony rower o żałośnie małych kółeczkach na ściernisko i zdyszana wykrzyknęła:

– Chodźcie, wprowadzają się do tego waszego domu!

Choć pedałowanie po uliczkach pokrytych kurzem nie zajęło im więcej niż pięć minut, zdążyły na samą końcówkę „wprowadzki". Dwóch mężczyzn w roboczych kombinezonach wnosiło do domu olbrzymią, skórzaną kanapę szczelnie owiniętą ochronną folią. Gdy wrócili, wyładowali jeszcze tylko kilka szafek, pudeł, opuścili plandekę na pace ciężarówki, wskoczyli do szoferki i olbrzymi star, nieproporcjonalnie duży na osiedlowej ulicy, potoczył się w stronę pętli, wzbijając tumany kurzu i zostawiając za sobą smród spalin.

Dopiero kiedy ciężarówka odjechała, odsłaniając widok na podwórze, nadal zagracone pozostałościami z budowy, dziewczyny dostrzegły chłopaka w spranych, rozszerzanych do dołu dżinsach. Stał oparty o świeżo otynkowaną białą ścianę, jedną opaloną rękę trzymał w kieszeni, w drugiej miał na wpół wypalonego papierosa. Połowę jego twarzy zasłaniały długie, proste blond włosy, a ciemne lotnicze okulary w stylu Toma Cruise'a w *Top Gun* czyniły go jeszcze bardziej tajemniczym.

Był z miasta, musiał być z miasta – dziewczyny z przedmieścia wyczuwają takie rzeczy zmysłem dostępnym tylko im i nikomu innemu. Dziewczyny z przedmieścia rozpaczliwie pragną miasta i wzdrygają się na słowo wieś, w szkole na przedmieściach słowo „wieśniara" jest większą obelgą niż „szmata". Dziewczyny mieszkające w małych, klockowatych, ceglanych domkach oddalonych o kwadrans spaceru od pętli autobusu podmiejskiego ubierają się na bazarach, łatwo je poznać po krzykliwym makijażu i tanich, chińskich, tureckich albo tajwańskich podróbkach ciuchów znanych marek, po za długich paznokciach i głodzie w oczach widocznym zza pomalowanych rzęs. Dziewczyny z przedmieścia dorastają, marząc o mieście i chłopcach z miasta. Pogardzają wąsatymi chłopcami z przedmieść, z ich motorynkami, samochodami wyklepanymi w warsztatach ojców i paznokciami brudnymi od pracy w garażowej pieczarkarni czy w szklarni. Dziewczyny z przedmieścia chcą chłopców z miasta, bladych licealistów w okularach o długich, smukłych palcach poplamionych atramentem. Dla nich wkładają najlepsze bazarowe ubrania, lakierowane szpilki i przecierane dżinsy *made in Turkey*, dla nich malują rzęsy niebieskim tuszem, a powieki czarną kredką, dla nich piłują paznokcie w szpic i malują je w soboty na kolor krwistej czerwieni albo oślepiającego różu, dla nich tlenią włosy jeszcze przed egzaminami do liceum.

Ten szósty zmysł powiedział Karolinie bezbłędnie, że chłopak musi być z miasta. Kto inny założyłby rozszerzane, sprane dżinsy, gdy wokoło królowały nowiutkie, pracowicie poprzecierane w tureckich fabrykach dekatyzy? Kto ośmieliłby się zapuścić włosy do zupełnie niemęskiej długości? Kto wreszcie stałby sobie tak pod domem, paląc papierosa? Nikt z tutejszych, świadomych, że po chwili palenie zostanie odnotowane przez którąś z sąsiadek czatujących za firankami kuchennego okna na jakiś skandal, czy choćby urozmaicenie codziennej nudy. Sąsiadek, które przyjaźniły się ze wszystkimi rodzicami, nauczycielami oraz babciami i donosiły o wszelkich wydarzeniach sprawniej niż wywiad wojskowy. Tak palić to można było sobie gdzieś pod blokiem na mitycznym Bródnie czy innych Jelonkach. Karolina tylko raz paliła papierosa (nie przeczuwała, że za dwadzieścia lat będzie wypalać półtorej paczki dziennie). Wykradły ojcu Gośki pół paczki carmenów, zapaliły na polu z dala od ciekawskich spojrzeń. Gośka wymiotowała. Karolinie oczy wyszły z orbit, zaszły łzami, kaszel omal jej nie udusił, ale dzielnie dopaliła do końca pod pogardliwym spojrzeniem Anety, która stwierdziła tylko, że jak dla niej mogą się obie tutaj udusić, proszę bardzo, ale na nią mają nie liczyć, nikt jej nie przyjmie do szkoły lotniczej, jeśli zacznie palić. Już następnego dnia obie rodziny wiedziały, co zaszło. Skończyło się na awanturze i krzyku, lecz był to dowód, że na osiedlu nie można się bezpiecznie ukryć.

A ten chłopak stał sobie tak zwyczajnie, patrząc na nie znad okularów przeciwsłonecznych spuszczonych na sam czubek nosa, podczas gdy w jego dłoni dopalał się papieros z żółtym filtrem.

Stałyby tak pewnie jeszcze z kwadrans, spętane niepisanym prawem zabraniającym dziewczynom odezwać się pierwszym, gapiąc się i udając, że się nie gapią, pokrywając zmieszanie chichotem i szturchaniem się, gdyby nagle, znienacka, nie pojawiła się Beata.

– O cześć, wszędzie was szukałam... – zaczęła i urwała nagle, napotykając spojrzenie długowłosego. – My się chyba jeszcze nie znamy – oznajmiła i pomaszerowała w stronę chłopaka z wyciągniętą na powitanie ręką, w jednej chwili depcząc pracowicie pilnowany przez lata kodeks honorowy dziewczyn z Leśnego. – Beata. A te tam to moje przyjaciółki.

– Nie wierzę, normalnie nie wierzę! – wściekała się Karolina kwadrans później, kiedy żegnały się pod furtką Gośki.

– To sobie nie wierz – Beata prychnęła pogardliwie, wydymając umalowane błyszczykiem usta i wydmuchując dym z carmena z tamtej, kradzionej paczki.

Zachowywała się zupełnie tak samo jak tamten chłopak, jak gdyby żadne prawa i zasady jej nie dotyczyły. „Może ojciec miał rację – pomyślała Karolina ze złością – może ona rzeczywiście skończy w kryminale. Chciałabym to zobaczyć". Ale Beata wzruszyła tylko ramionami na jej oskarżycielskie spojrzenie.

– Miałyście dobre piętnaście minut, żeby z nim pogadać, a stałyście jak te krowy. Ktoś musiał zacząć.

– No to opowiedz coś! – Aneta nie wytrzymała, gryzła koniec warkocza z emocji.

– Co tu opowiadać. Na imię ma Krystian, dwa razy powtarzał klasę, będzie chodził z nami do szkoły. Sprowadził się z Ursynowa, z bloków, mieszka z ojcem, matka wyjechała do Stanów, to ona zaczęła budowę tego domu, ojciec dokończył. Ojciec jest jakąś szychą, prywaciarzem czy coś.

Przeciągnęła się leniwie, oparta o rower.

– W razie czego byłam pierwsza – zaznaczyła tylko. – A teraz muszę lecieć, umówiłam się z Mirkiem.

Mirek był kolejnym podbojem Beaty, postawnym chłopakiem z technikum elektronicznego, którego pasją były japońskie samochody i filmy ze Stallone'em. Ojciec Karoliny określał go krótko a dosadnie – troglodyta – i nadal nie pozwalał na wizyty Beaty, z chłopakiem czy bez. Kiedyś zobaczył ją w autobusie z tym Mirkiem, siedzieli na jednym z pojedynczych siedzeń z tyłu i całowali się namiętnie. Od tego czasu na każdą wzmiankę o niej zaciskał szczęki, więc Karolina przezornie nie odzywała się. Używała Anety jako wymówki do wyjścia.

– To jest porządna dziewczyna, zobaczysz, ona daleko zajdzie – ojciec Karoliny kiwał głową z aprobatą. – Ona ma plan na życie, a to jest najważniejsze. Małgosia też ma plan, ma przyzwoitego chłopca, nawet jeśli nie jest orłem, to będzie dobrym człowiekiem. A ta trzecia twoja przyjaciółeczka marnie skończy, jeśli będzie tak łatwo się sprzedawać, ja ci to mówię.

Karolina nie próbowała dyskutować. Z ojcem nie było dyskusji, chodził ostatnio podenerwowany, jego nocne rozmowy z matką w kuchni coraz częściej kończyły się trzaskaniem drzwiami, zamiast do Niemiec jeździł raczej do Czechosłowacji i Związku Radzieckiego, zostawał dłużej w pracy, z butelek koniaku trzymanych w starym kredensie po prababce coraz szybciej ubywało złotego trunku. W domu rządziła babcia, żelazną ręką w czarnej rękawiczce trzymając wszystkie sznurki.

Beata tymczasem kwitła, rozkoszując się nowo nabytą kobiecością. Nauczyła się zupełnie ignorować matkę, ten wychudły cień w białej bluzce przemykający pod ścianami, trzymający się jedną ręką listwy na boazerii, żeby nie upaść, roznoszący zapach alkoholu zmieszany z muzyką Chopina. Jej matka grała nawet wtedy, kiedy była już zbyt pijana, by mówić, jakby alkohol nie docierał do jej smukłych palców poruszających się po klawiaturze, jak gdyby jej palce żyły niezależnie od reszty ciała, chwiejnego i niepewnego. Dom stał się dla Beaty przystankiem na drodze do „prawdziwego" życia, miejscem, gdzie po szkole przebierała się na spotkania z Mirkiem w ubrania kradzione na bazarze i kupowane w Rembertowie na ciuchach, wyzywające i obcisłe, jaskraworóżowe i zielone bluzki, spódnice z dżinsu i koronek odsłaniające nogi aż do miejsca, gdzie zaczynały się białe, elastyczne majtki. Beata czytywała niemieckie „Bravo" i artykuły o pierwszym razie pisane przez niemieckie nastolatki, przekupywała Karolinę do tłumaczenia co pikantniejszych fragmentów: „No, nie bądź taka, podszkolisz niemiecki – a potem śmiała się z jej nieudolnych wysiłków: – Jaki samogwałt – prychała – to się nazywa masturbacja, mam ci pokazać, na czym to polega?", aż przyjaciółka czerwieniła się i uciekała z pokoju.

Kiedy indziej zabawiała całą trójkę przyjaciółek opowieściami o tym, co robiła z Mirkiem poprzedniego wieczora, wybuchając śmiechem, kiedy się peszyły. Tylko Gośka wytrzymywała te opowieści bez zmrużenia oka. Beata podejrzewała, że i Gośka ma za sobą pierwszy raz, z Tomkiem oczywiście. Kto inny mógłby spojrzeć na tę wiecznie spoconą grubaskę z wielkim biustem? Karolina i Aneta patrzyły na Beatę zachwyconym wzrokiem dziewic marzących o tym, żeby wreszcie ktoś je chociaż pocałował, ale Aneta miała dodatkowo jakieś skrzywione kościelne wyobrażenia o grzechu – krótko mówiąc: dla Anety grzechem byłoby nawet spojrzenie na chłopaka. Dlatego tak uroczo było obserwować, jak czerwieni się ze wstydu, słuchając opowiadań Beaty i artykułów z „Bravo", gryząc koniec brzydkiego warkocza albo krótkie paznokcie. Karolina to co innego. Karolina też wstydziła się i peszyła, ale w jej oczach było jeszcze coś innego, jakieś pragnienie, które pewnego dnia wreszcie spowodowało, że Beata zdecydowała się wtajemniczyć przyjaciółkę. Zaprosiła ją do kina w Śródmieściu. Operację trzeba było przeprowadzić w tajemnicy przed babciami, które stanowczo zabraniały takich wypraw, zatem rowery zostały na osiedlu, oparte o płot domu Gośki sugerowały, że ich właścicielki siedzą wewnątrz. Przed kinem Polonia czekał już w swoim samochodzie Mirek. Maluch w kolorze błękit ZOMO wydał im się szczytem luksusu. W aucie siedział jeszcze jeden chłopak, o chudej, szczurzej twarzy usianej gdzieniegdzie pryszczami i kiełkującym ciemnym zarostem, pachnący tanią wodą toaletową. Tłusta przydługa grzywka opadała mu na czoło, tył głowy miał wystrzyżony, nosił skórzaną cinkciarską kurtkę do dekatyzowanych dżinsów „marmurków", które wisiały na jego chudych biodrach.

– Marcin – przedstawił się pryszczaty głosem zdradzającym niedawno zakończoną mutację.

Wyglądał, jakby za szybko urósł, miał za długie i za chude nogi i ręce, do tego żałobę za paznokciami. Karolina powiodła po pozostałej dwójce spłoszonym spojrzeniem, ale Mirek i Beata już zamknęli się w swoim dwuosobowym kręgu. Ona została przypisana do pryszczatego. Przyjaciółka na chwilę wyrwała się z uścisku swojego chłopaka i odwróciła do Karoliny, mrugając porozumiewawczo. Dziewczyna poczuła dojmujące rozczarowanie – to po to malowała się kosmetykami matki, po to prasowała dżinsy, po to wreszcie podebrała matce szpilki? Dla tego chłopaka wyglądającego jak pryszczata plątanina przydługich kończyn? Ale było już za późno na ucieczkę, kino pożarło ich, weszli do ciemnej sali. *Nieoczekiwana zmiana miejsc*. Beata chichotała i piszczała ze śmiechu przez cały film, cichnąc tylko wtedy, gdy Mirek ją całował. Długie nogi w pantoflach z czubem położyła na oparciu fotela z przodu, spódnica podwinęła się jej, pokazując wszystkim zainteresowanym skraj koronkowych majtek. W połowie seansu Karolina poczuła spoconą, ciepłą rękę na swoim ramieniu. „No, chodź tu – pryszczaty szepnął – co ty taka nieśmiała jakaś?" Karolina postanowiła „teraz albo nigdy" i poddała się rękom chłopaka. Pozwoliła dotknąć swoich ust wargami pachnącymi tanimi papierosami, poczuła wielki, wilgotny język napierający na zęby i jeszcze więcej smrodu papierosów, Klubowych albo Stołecznych. Tani tytoń, obca ślina, język jak klucha odbierająca oddech. „I to na tym ma polegać? – zdziwiła się. – Jakim cudem Beacie się to podoba, co w tym przyjemnego?" Wytrwała cały seans oślizgłych pocałunków, pozwoliła poprowadzić swoją dłoń na niezgrabne wybrzuszenie, które urosło w workowatych dżinsach pryszczatego, a kiedy wreszcie zapłonęło światło, z ulgą otworzyła oczy i wyrwała się z objęć chłopaka.

– No i jak, podobało ci się? – zapytała Beata. Karolina nic nie odpowiedziała, bo czuła, że jeśli otworzy usta, to zwymiotuje cudzą śliną i zapachem stołecznych. Siedziały na tylnym siedzeniu malucha, Mirek odwoził je na pętlę, stamtąd miały wrócić do Gośki po rowery. Beata wysiadła w poczuciu dobrze spełnionego obowiązku.

- No widzisz, znalazłam ci chłopaka – powiedziała następnego dnia, a na zdziwioną minę Karoliny żachnęła się w autentycznym oburzeniu: – Nie chcesz, to nie, jemu się podobasz. Zawsze to chłopak, a nie jakiś tam piosenkarz na plakacie, a Tomek już zajęty, przypominam ci. Dorośnij wreszcie. Karolina nie chciała dorosnąć. O wyjściu do kina nie powiedziała nikomu. Zdarzenie tkwiło gdzieś wewnątrz niej, jak stara drzazga podchodząca ropą. Czasami przed zaśnięciem wyobrażała sobie swoje życie, tak odmienne od wyobrażeń ojca powtarzającego do znudzenia: „Tylko nauka, dziecko, tylko studia, potem wszystko inne", życie z kimś takim jak pryszczaty chłopak z kina, trzymanie się za ręce i odprowadzanie ze szkoły. Na myśl przychodziły jej westchnienia koleżanek z klasy, kiedy Mirek podjeżdżał pod szkołę motorem, a Beata wsiadała na siedzenie i obejmowała go w pasie. Pewnego dnia przyśnił jej się niezgrabny, muskularny chłopak, prowadzący skup butelek w spożywczym. Zaczęła chodzić tam codziennie, nosząc kilka butelek po oranżadzie czy mazowszance, tylko po to żeby spojrzeć na tego chłopaka o tępej twarzy i grubych, owłosionych przedramionach zakończonych dłońmi o krótkich palcach. Chodziła tam sama, z poczuciem, że robi coś zakazanego. Żeby zapewnić sobie wymówkę, za pieniądze uzbierane ze sprzedaży butelek kupiła jaskraworóżowy lakier do paznokci. Po kilku tygodniach chłopaka w skupie zastąpił starszy, siwiejący, niedbale ogolony mężczyzna i Karolina straciła cel. Teraz miało być inaczej.

„Teraz będzie inaczej – pomyślała Beata na widok długowłosego chłopaka stojącego pod ścianą w tej samej pozycji, co wtedy, kiedy widziała go po raz pierwszy. – To nie Mirek z jego technikum, grzebaniem przy motorze i skórzaną kurtką". Przez myśl przeszły jej te wszystkie filmy nadawane w niedzielne popołudnia w telewizji, amerykańscy licealiści o zdrowych, kukurydzianoblond włosach i białych uśmiechach, bale maturalne, król i królowa balu, najpopularniejsza dziewczyna w szkole i najpopularniejszy chłopak.

Beata podeszła do chłopaka i zaprezentowała swój najbardziej olśniewający uśmiech.

– Co tak stoisz sam? – zagaiła, odgarniając z czoła niesforny kosmyk jasnych włosów.

– Nienawidzę jej – wystękała ponuro Karolina, gryząc jakąś zerwaną roślinkę.

Znowu siedziały na skraju pola, w ostatnim dniu wakacji. Te wakacje, ostatnie w podstawówce, spędziły, siedząc na polu i jeżdżąc na rowerach. Deszcz nie padał chyba od czerwca i wszystko przykryte było warstewką pyłu podnoszonego z ulic przez samochody i rowery.

Aneta kiwnęła głową. Sylwetki Beaty i nowego były jeszcze widoczne w oddali. Nie miały wątpliwości, że wybrała trasę spaceru celowo, widziały jej uśmiech, kiedy zatrzymała się na chwilę przy miejscu, gdzie siedziały.

– Pokazuję Krystianowi osiedle – rzuciła wesoło. – Przyłączycie się?

Kiedy pokręciły głowami, starając się ze wszystkich sił nie okazywać wrażenia, jakie na nich zrobiła, wzruszyła tylko opalonymi ramionami przysłoniętymi cieniutką, różową koszulką.

– Dobra, jak chcecie. Zapoznacie się jeszcze, Krystian będzie z nami w klasie.

– Wyobrażasz to sobie? – jęknęła Karolina. – Będziemy na każdej przerwie oglądać widowisko pod tytułem zakochana Beata.

– Ona nie jest zakochana – uznała Aneta, odprowadzając parę wzrokiem. – Ona to robi, żeby nam pokazać, kto tu rządzi – dodała po namyśle. – Tak naprawdę to chyba mi jej żal.

Zostały we dwie, tak się przynajmniej wydawało.

Rok szkolny zaczął się od nagłej ulewy, jakby natura zapragnęła podkreślić koniec wakacji. Na apelu wszystkie oczy zwrócone były na Beatę i nowego ucznia, po apelu Gośka wymówiła się spotkaniem z Tomkiem. Karolina z Anetą wlokły się do domu powoli, pod dużym czarnym parasolem, odsuwając moment rozstania, jak najdłużej się dało.

1987: WHO'S THAT GIRL

– Przestań, proszę, przestań. Ja nie chcę nawet słuchać o takich rzeczach! – Aneta zatkała uszy jak dziecko. Chude, wyrośnięte dziecko w bluzce w kwiatki, która zaszewkami miała markować istnienie biustu, i w spódnicy zsuwającej się z jej kościstych bioder i dlatego mocno ściągniętej starym, męskim paskiem.

Beata wyjęła trzonek od szczotki z ust i wybuchnęła śmiechem.

– Kiedyś będziesz musiała to zrobić, jeśli nie chcesz, żeby facet cię zostawił.

– Nie chcesz chyba powiedzieć, że ty i Mirek... – Karolina zawiesiła głos, wpatrując się z mieszaniną przerażenia i fascynacji w szczotkę połyskującą od śliny i szminki.

– Jeszcze nie, nie do końca, ale on chce. A ja chcę zobaczyć, jak to jest. No, co się tak gapicie? Ale z was ciotki-cnotki! To jest przyjemne, nie tylko dla chłopaka. A zresztą co wy tam wiecie.

– Zaraz się wyrzygam, jak nie przestaniesz. A w ogóle to grzech, tak bez ślubu, nawet... nienaturalnie.

– Jasne, wszystko to grzech. Jak się dobrze zastanowić, to oddychanie też jest grzechem. – Beata zmrużyła niebieskie oczy i spojrzała na Karolinę. – Tobie to dobrze: nie jesteś ochrzczona, nie grzeszysz, mogłabyś zrobić laskę całej klasie, a i tak nie musisz się spowiadać co pięć minut i wymyślać listy durnych grzechów, żeby nie opowiadać księdzu o tym, co robisz z chłopakami. Dla księdza to nawet całowanie z językiem jest nienaturalne.

– No bo jest...

Karolina nic nie odpowiedziała. Przypomniała sobie pewien letni wieczór w kinie, kiedy nieznajomy chłopak wkładał jej język do ust. Pachniał papierosami i tanią wodą po goleniu. Zastanowiła się, czy to może sprawiać komukolwiek prawdziwą przyjemność. A może Beata udaje? Może dorośli na filmach udają, żeby tylko nie wyszła na jaw najgłębiej skrywana tajemnica, że nikomu to przyjemności nie sprawia, że jest to coś, co ludzie robią tylko po to, żeby inni nie uznali ich za ciotki-cnotki?

– Beatko! – dobiegł z dołu kobiecy głos – Zejdź no tu na chwilę, dziecko!

– Zaczekajcie na mnie – powiedziała Beata i zbiegła po schodach.

Dziewczyny słyszały jej lekkie kroki, a potem więcej głosów dobiegających z dołu.

– A ty, całowałaś się już tak naprawdę?

Karolina prawie nie wierzyła, że to pytanie padło z ust jej bogobojnej, brzydkiej przyjaciółki.

– Noo – odpowiedziała.

Teraz przyszła jej kolej na udawanie. Skoro Beaty chwilowo nie było w pokoju, to ona stała się tą najbardziej doświadczoną i nie mogła przecież przyznać się do niesmaku i braku przyjemności. Nagle to przypadkowe i niechciane doświadczenie uczyniło z niej kogoś prawie równego dorosłym.

– Tak... nienaturalnie?

– Właśnie tak.

– Jak było?

– Trochę dziwnie. Normalnie. Nie wiem.

Zaczerwieniła się. Zawsze ją to zdradzało, nie potrafiła nic ukryć ani skłamać. Rozzłościła się na palące policzki i uszy, zdradzające jej wahanie. Postanowiła pokryć je bezczelnością. Nic gorszego nie mogło już się wydarzyć, mogła przynajmniej zawstydzić jeszcze kogoś, zamiast zostać sama ze swoim rumieńcem na oczach zafascynowanej przyjaciółki.

– Nachyl się do mnie! – rozkazała.

Nie tak miało być i nie miała czuć tego, co czuła. Tym razem nie było zapachu kiepskich papierosów, tylko jakiś tani dezodorant. I nie było w tym nic obrzydliwego, tym razem tylko określenie „dziwne" dawało się zastosować do sytuacji... Ale Karolina nie myślała o żadnych określeniach, kiedy zbiegała po schodach, czerwona jak burak, prosto do przedpokoju całego w dębowej boazerii i lustrach.

– Muszę lecieć – rzuciła tylko w przelocie, wkładając kurtkę.

Aneta zbiegła za nią, babcia Beaty patrzyła zdziwiona.

– Co się stało twoim koleżankom, dziecko? – zapytała, kręcąc głową z niedowierzaniem. Matka Beaty nawet nie odwróciła głowy, wpatrzona w „Teleexpress" na kolorowym ekranie.

– Nie wiem – dziewczyna wzruszyła ramionami, odstawiła tacę z nikomu już niepotrzebnymi kanapkami na kuchenny stół i poszła na górę.

– Zaczekaj! – krzyczała Aneta.

Ale Karolina nie odwracała się, minęła już pętlę i zbliżała się do kanału. Jeszcze most i będzie bezpieczna u siebie w domu, może umyje usta mydłem albo wypije duszkiem szklankę mleka, chociaż go nie lubi. I włączy radio na cały regulator, żeby zapomnieć o tym, co zdarzyło się przed chwilą. „Nienaturalne, dobre sobie, to dopiero było nienaturalne". Zachichotała nerwowo pod nosem i w tym momencie potknęła się o kamień wystający z ulicznego błota. Kiedy wstała, Aneta była już za nią, równie przerażona tym, co zrobiły, albo po prostu zdyszana od biegu.

– Nie bój się, nikomu nie powiem – rzuciła tylko i zaczęła odchodzić w swoją stronę.

W tym momencie w półmroku pojawiła się wysoka sylwetka w berecie. Szedł w ich kierunku, powoli, z tym uśmiechem, którego nie lubiły, bo mimo pozorów wesołości był obcy, nieprzyjemny. Nie wiadomo było, co się w nim kryje.

– Dziewczynki... same, tak późno? Mamusia się pogniewa!

Tym razem uciekały, trzymając się za ręce. Dopiero na pętli, gdy dostrzegły tłumek oczekujących na autobus, zatrzymały się i odważyły spojrzeć za siebie. Oczywiście nikogo nie było. Cień zniknął w ciemnościach nadchodzącego wieczoru.

PUDŁO Z PAMIĄTKAMI

Chyba każda kobieta, obojętnie jak bardzo ustatkowana i dorosła, ma gdzieś w szafie ukryte głęboko pudło pełne tajemnic. Bagaż resztek z dzieciństwa, starą skórę zrzuconą przez węża. Codziennie coś zrzucamy z siebie, jakieś fragmenty skóry, a pod spodem rośnie nowa, czysta, świeża, przetykana jędrnymi włóknami kolagenu, gładka jak pupa niemowlaka, jak skóra Marka juniora, który śpi teraz w swoim pokoiku pod kołderką w misie. Kiedy byłyśmy w szkole, mówiło się, że człowiek wymienia wszystkie komórki w ciągu siedmiu lat. Od tamtej pory zdążyłam się wymienić już prawie cztery razy. Nie ma we mnie ani jednej cząstki z dawnej Beaty. A mimo to nadal wierzę w takie obiegowe prawdy jak kiedyś babcia Maria, która miała na każdą okazję przysłowie i która na starość, kiedy straciła już resztki operowej godności, porozumiewała się wyłącznie urywkami przysłów, powiedzeń i mądrości ludowych. Ranek jest mądrzejszy niż wieczór, jak sobie pościelisz, tak się wyśpisz, nie szata zdobi człowieka – kilkusylabowe ściągawki z podstawowych prawd.

Czasem żałuję, że razem z cząsteczkami skóry nie złuszczają się fragmenty duszy. O ile ją mam. Fragmenty pamięci rozsypane na poduszce po nocy, wtarte w ręcznik jak złuszczony naskórek. Kusząca wizja. Niestety zamiast znikać, wspomnienia obrastają człowieka, a te, które – wydawałoby się – już dawno utracił, czają się w kącie szafy gotowe wyskoczyć na pierwszy nieostrożny ruch.

Tym razem odkopałam je specjalnie. Żeby się od czegoś uwolnić, trzeba się z tym zmierzyć. Nawet jeżeli od kilkunastu lat jestem zupełnie kimś innym niż wtedy. Siadam przy biurku Marka, trzymając na kolanach tekturowe pudło po kozakach. Całe dzieciństwo spakowane w karton długości pięćdziesięciu centymetrów: wszystkie te zdjęcia, które już lata temu miałam powkładać do albumów; kartki, które miałam dawno wyrzucić, zapisane dziecinnym pismem z kółeczkami zamiast kropek nad i; bilet do kina Polonia datowany na sierpień 1987 roku, ostatni rok dzieciństwa, kiedy powietrze nad Leśnym było kryształowo przezroczyste, gorące i rozedrgane i gdy wydawało się, że wszędzie unosi się muzyka i głos Madonny śpiewającej o wyspie na ciepłych morzach. Ilekroć słyszę tę piosenkę, widzę nas, jak siedzimy gdzieś na skraju pola, spieram się z Karoliną o słowa, które spisałyśmy ze słuchu do małego zeszyciku w czerwonej okładce. Śpiewamy. Ja – czysto, z nawyku, z nasiąkania od niemowlęctwa muzyką w domu, ona – fałszując niemiłosiernie i nie przejmując się tym. Ona śpiewa dla samego śpiewania, ja koncentruję się, żeby nie przekręcić ani jednego słowa, z napięciem, jakbym występowała na scenie przed najbardziej wymagającą publicznością. Wtedy wszystko robiłam w ten sposób. Zaczynałam dzień od uważnego oglądania się w wielkim lustrze, które dziadkowie powiesili w przedpokoju. Jego krawędzie, gdy padało na nie słońce, wysyłały maleńkie tęcze w powietrze, a ja przed tym lustrem stawałam się co rano nową Beatą – bez skazy, podziwianą i budzącą zazdrość. A później cały długi dzień stąpałam po cienkiej linie, z której mógł mnie strącić byle szyderczy uśmieszek.

– Pani Beatko, ja skończyła! – Na dole trzaskają drzwi wejściowe.

Pani Nadia zakończyła cotygodniowe sprzątanie i wychodzi, zabierając zapłatę, którą zostawiłam jej na stoliku w holu. Moja mama nie pochwala tego zwyczaju, uważa, że powinnam wszystko robić sama i nie nabierać, jak to nazywa, wielkopańskich nawyków tylko dlatego, że mojemu mężowi się dobrze powodzi. Dlatego mama na czas porządków opuszcza dom, jak mówi, po to żeby nie czuć się winna, kiedy ktoś pracuje, a ona siedzi bezczynnie, a naprawdę chyba dlatego że gdyby została w domu, nie oparłaby się pokusie poprawiania, krytykowania i uczestniczenia w sprzątaniu. Idzie zwykle do kościoła. Mama usiłuje nadrobić dziesięć lat utopionych w alkoholu, odpokutować je energicznym uczestnictwem w moim życiu i modlitwą. Kiedy pani Nadia wychodzi, trzymając w ręku ciężko zarobione sto pięćdziesiąt złotych, mama wraca chyłkiem przez tylne drzwi, rozgląda się po lśniącym czystością salonie, przejeżdża palcem po powierzchni kredensu i po górnej półce regału, udaje, że upadł jej zegarek, co daje jej pretekst do zajrzenia pod ciężką, skórzaną kanapę. W końcu stwierdza, że nie ma się do czego przyczepić, kręci głową i idzie do kuchni parzyć sobie herbatę. Nie rozumiem jej dezaprobaty – w domu dziadków od zawsze była gosposia. Przeżyła dziadka, została pochowana z honorami na koszt babci, a babcia odeszła zaraz po niej, jakby nie potrafiła bez jej pomocy wytrzymać choćby roku na tym świecie.

– Poczta przyszła – mówi mama, jeszcze zmarznięta po powrocie z kościoła, wyglądając przez kuchenne okno na ogródek przed domem. I rzeczywiście, za płotem kroczy energicznie pan Henryk, listonosz, ciągnąc za sobą po dróżce wypchaną torbę. Wybiegam do furtki pełna strachu. Od tamtego listu od Angeliki nie czekam już z radością na listonosza. Wcześniej kojarzył mi się tylko z paczkami pełnymi towarów zamówionych w sklepach internetowych – na to mama też się krzywi, „Wygodna jesteś – mówi – już nawet do sklepu nie chce ci się jeździć, auto stoi w garażu, pojechałybyśmy kiedyś do galerii, Mareczek by się przespacerował, ludzi zobaczył, a ty tylko te paczki i paczki".

– Dzień dobry, pani Beatko! – pan Henryk jak zwykle wita mnie, uchylając czapkę. Powitanie pamiętane z Leśnego i jeden z powodów, dla których tak dobrze czuję się tutaj, za Piasecznem, wśród leśnych dróżek i domów ogrodzonych wysokimi płotami.

– Dzień dobry panu, ma pan dzisiaj coś dla mnie? – pytam z wyuczonym uśmiechem, ale kiedy listonosz rozładowuje torbę na kółkach, obawa ściska mnie gdzieś w środku; strach przed kolejną zwyczajną, białą kopertą zaadresowaną równym, szkolnym pismem kobiety, która od kilkunastu lat używa długopisu tylko do rozwiązywania krzyżówek.

– Parę paczek i rachunki – odpowiada jednak listonosz, a ja rozluźniam się. Odwdzięczam mu się ciepłym, serdecznym uśmiechem, odbierając paczki z ubrankami i zabawkami dla Marka, bawełnę do szydełkowania zamówioną w internetowej pasmanterii i kilka innych zakupów, robionych już z myślą o Bożym Narodzeniu.

Wracam na górę i w pośpiechu chowam pudło z pamiątkami, żeby mój mąż go nie znalazł. Mareczek już nie śpi, uśmiecha się do mnie z łóżeczka, stoi w nim, jeszcze niepewnie trzymając się szczebelków. Moje późne dziecko, mały cud medycyny i determinacji, urodzony miesiąc za wcześnie, walczący w inkubatorze o życie i zdrowie. Jedyny człowiek na świecie, dla którego nie muszę się przebierać za doskonałą Beatę. Patrzę na niego i wiem, że muszę zadzwonić do Karoliny, spytać ją, czy zrobiła to, o co prosiła ją siostra Anety. Chcę mieć to wszystko już za sobą, nie chcę, żeby Leśne wyciągało swoje brudne, ublocone i śmierdzące kanałkiem łapska po mnie i moją rodzinę.

1987: LA ISLA BONITA

Dziadkowie Beaty jak co roku wyjechali do Bułgarii, do Złotych Piasków. Zostały we dwie z matką w olbrzymim domu wyłożonym boazerią, pod czujną opieką pani Helenki, która przychodziła codziennie rano, opróżniała z resztek alkoholu szklanki porozstawiane na ciężkich dębowych meblach, otwierała okna i wpuszczała do ciemnego wnętrza strugi powietrza i światła. Matka reagowała jękiem i zaciskaniem oczu. Wreszcie z protestem zwlekała się z łóżka w sypialni na piętrze, żeby doprowadzić się do porządku przed przyjściem pierwszych uczniów, dla których pojęcie wakacji było czymś obcym, bo każdą chwilę poświęcali na granie, na żmudne gamy i ćwiczenia.

Beata nie czekała jednak na pojawienie się jednego z tych bladych, ospałych dzieciaków, które ożywiały się, dopiero siadając na obrotowym stołku przy pianinie. Przełykała śniadanie w biegu, krytycznie przeglądała się w lustrze w przedpokoju i wychodziła, żeby wrócić w porze obiadu, której przestrzegano w tym domu z rytualną starannością. Jadały we dwie z matką przy dużym stole w jadalni, siedząc na obitych skórą krzesłach, kupionych przez dziadka gdzieś w sklepie z antykami, podobno za bezcen. Żuły w milczeniu, przerywanym uwagami o pogodzie, nie mogąc się doczekać – Beata chwili, kiedy znowu będzie mogła wyjść z domu, a jej matka poobiedniego drinka, pierwszego z serii. Czasami matka wybierała się w odwiedziny do znajomej czy sąsiadki, wówczas poprzestawała na jednym drinku przed wyjściem, ale zazwyczaj spędzała popołudnia i wieczory w domu, grając albo wpatrując się szklanym, nieobecnym wzrokiem w ekran kolorowego telewizora; kolejny bułgarski czy radziecki film zastępował jej towarzystwo.

Beata uciekała na rowerze do przyjaciółek albo spotykała się z Mirkiem. Mirek był kuzynem jednej z koleżanek z klasy. Kiedyś gdy Beata z Gośką grały w badmintona, stojąc po dwóch stronach bramy wjazdowej na podwórze, dostrzegły u wylotu ulicy chłopaka na motorze, wzbijającego tumany kurzu z nawierzchni. Kiedy znalazł się na wysokości domu Gośki, zahamował, zeskoczył z motoru i... tak się to zaczęło. Był jak buty na obcasach czy papieros – miał stać się sposobem na przyspieszenie dorosłości, nic więcej. Pozwalała mu się całować z czystej ciekawości i po to, żeby mieć o czym opowiadać. Pozwoliła mu się dotykać, rozebrać, pozwoliła zabrać się do mieszkania jego rodziców i rozdziewiczyć na wersalce w salonie, gdy jego ojciec pracował w fabryce, a matka gotowała w przedszkolu. Domyślała się, że to, co czuje, to jeszcze nie wszystko. Że być może kiedyś odkryje prawdziwy sens, dla którego ludzie godzą się na oblizywanie i ugniatanie różnych części ciała, dysząc przy tym i sapiąc, ale dopóki go nie odkryła, postanowiła czerpać radość z prostego faktu bycia kobietą i posiadania jakiegokolwiek życia seksualnego. Zaczęła czytać niemieckie „Bravo", korzystając z pomocy Karoliny przy co trudniejszych fragmentach. Uśmiechała się tajemniczo, gdy przyjaciółki krzywiły się na pikantne opisy „moich pierwszych razów" pisane przez niemieckie trzynastolatki.

– To obrzydliwe! – wykrzyknęła za którymś razem Aneta, świętoszka nieopuszczająca żadnego nabożeństwa w niedzielę, Aneta z Rodziny Rodzin.

- Nie wygłupiaj się, jak kogoś kochasz, to nie jest obrzydliwe - powiedziała Gośka.

- Ale to grzech - Aneta nie dawała za wygraną.

- Wszystko, co fajne, to grzech - Beata roześmiała się złośliwie. - Obgadywanie to też grzech i brzydkie słowa, jak wyzywasz siostrę, to też grzech.

- Ale nie taki - tamta upierała się, czerwona ze złości.

- No to co, wystarczy się wyspowiadać.

Beata zerknęła na Karolinę, niewierzącą, która patrzyła na nie ze znudzoną miną. Zazdrościła jej, poza wszystkim innym - poza groźnym ojcem owianym tajemnicą, który potrafił nazwać czternastolatkę lafiryndą, poza domem z dwójką rodziców i młodszym bratem - między innymi tego, że dla Karoliny kategoria „grzechu" nie istniała. Nie musiała przywiązywać do niej większej wagi niż do innych abstrakcyjnych pojęć. Tymczasem w życiu Beaty w miarę dorastania coraz więcej rzeczy okazywało się grzechem, aż wreszcie zaczęła mieć uczucie, że wystarczy ruszyć palcem i natychmiast trzeba iść do spowiedzi, i wtedy się zbuntowała.

- Moja panno, ty powinnaś pokutować już za to, co masz na paznokciach - grzmiała babcia, patrząc z dezaprobatą na jaskraworóżowy lakier - a wolę nie wiedzieć, za co jeszcze!

„Gdyby babcia wiedziała, za co jeszcze, wysłałaby mnie do klasztoru", pomyślała złośliwie Beata i więcej nie poruszała tematu. Zamiast tego starała się zdobywać nowe kawałeczki życia dla siebie. Był Mirek, były wyprawy motorem za miasto do glinianki, w której można było się kąpać nago, bo nikt nigdy tam nie zaglądał, były eskapady do miasta, najpierw na bazar Różyckiego, później do centrum, a w ostateczności można było pojechać rowerem za tory kolejowe pod okrągły biurowiec fabryki telewizorów, siedzieć na krawężniku, popijać przez słomkę ciepłą oranżadę z foliowego woreczka, gapić się w chmury i nie myśleć o domu. Beata nie mogła doczekać się chwili, kiedy odejdzie z domu, przesiąkniętego muzyką i alkoholem. I przeraźliwą pustką – mimo obecności czterech osób, mimo obiadów podawanych punktualnie o drugiej na białym obrusie i porcelanowych talerzach. Czasami, kiedy zasypiała w swoim uroczo różowym i dziecinnym pokoiku na górze, wracały wspomnienia z poprzedniego życia. Z mieszkania w bloku, gdzie mąż matki, wieczny student filozofii w rozciągniętym swetrze, z przekrwionymi oczami, w przerwach między dorywczymi pracami topił swoje niepowodzenia życiowe w kolejnej butelce alkoholu.

– Pasożyt! – syczała babcia.

Matka udawała, że tego nie słyszy. Pasożyt zakorzeniał się coraz bardziej, studia stały się wygodnym alibi dla niepodejmowania żadnych wysiłków. Wegetował pomiędzy kanapą a stołem, wiecznie pijany i bezrobotny w kraju, w którym zatrudniony był praktycznie każdy, wieczorami zaś snuł kolejne wizje wspaniałej przyszłości – jednego dnia zapragnął kupić samochód i jeździć taksówką, innego planował zamieszkać ze swoją matką na wsi i hodować truskawki. Słowa lały się strumieniem równo z alkoholem z butelki, w wizjach byli rodziną stojącą na kolorowej fotografii przed plantacją truskawek i szklarnią pełną kwiatów, w rzeczywistości ubikacja wyłożona matowożółtymi płytkami śmierdziała wymiocinami i przetrawionym alkoholem, a popękane linoleum w kuchni znaczyły ślady po upuszczonych tlących się niedopałkach. Wreszcie zaczął wychodzić z domu, wracał agresywny, krzyczał. Wkrótce pierwszy raz uderzył, najpierw tylko matkę, a kilka dni później i ośmioletnią Beatę, która stanęła w jej obronie. W nocy, w chmurze spirytusowych oparów, uchylał drzwi do jej sypialni, siadał na brzegu jej łóżka. Jego ręce, ohydne, białe ręce porośnięte rzadkimi czarnymi włoskami, głaskały jej szyję. Na szczęście matka weszła, zanim zdążył zrobić coś więcej. Ale przychodził coraz częściej, więc kiedyś wrzasnęła:

– Tato, co ty robisz?!

A on na to zarechotał po pijacku:

– Nie jestem twoim tatą, malutka. Twój tata sobie żyje gdzieś daleko i nawet nie wie, że jesteś!

I to było gorsze od dotyku spoconych białych dłoni, od pijackich wrzasków i od przezwisk w szkole. Teraz przynajmniej mogła na te przezwiska odpowiedzieć z podniesioną głową:

– Nie, nie jestem córką pijaka, ten pijak to mój ojczym.

Wtedy przezwiska się zmieniły i z córeczki pijaka została bękartem i znajdą.

Aż wreszcie pewnego słonecznego, czerwcowego dnia potrącił go samochód, jakby w odpowiedzi na jej codzienne modlitwy: „Zabierz go, Boże, zabierz go od nas, niech on przestanie...". Pod samym blokiem, na przejściu dla pieszych, na które zatoczył się niepewnie, nie rozglądając się na boki. Patrzyła z okna. Leżał na przejściu, z siatki, którą niósł w ręku, wypadła butelka żytniej i rozbiła się na asfalcie. W kałuży przezroczystego płynu powoli wsiąkającego w nawierzchnię drogi błyszczały odłamki szkła i puszka przecieru pomidorowego, nietknięta. Białe dłonie poruszały się, wystając z mankietów pożółkłej białej koszuli, jak gdyby żyły własnym życiem, jakby chciały coś powiedzieć w znanym tylko sobie migowym języku. Może ostatnią groźbę wobec świata, który nie pozwolił mu na zrealizowanie tego wszystkiego, co chciał zrobić? Świata, który kazał mu się zamienić w pijane, oszołomione zwierzę, żyjące od jednej butelki do drugiej.

Umarł po trzech dniach w Szpitalu Bródnowskim, na dwudziestoosobowej sali pełnej zagipsowanych mężczyzn w pasiastych piżamach popalających po kryjomu papierosy mimo zbiorników z tlenem porozstawianych na korytarzach. Beata przychodziła do szpitala z matką. Matka siedziała na żelaznym łóżku przykrytym zszarzałą od setek prań pościelą, pod którą rysował się kształt jego ciała, zadziwiająco drobny w porównaniu z potężnym mężczyzną, który potrafił jednym ciosem pięści wybić białą szybę w drzwiach do kuchni. Matka zaciskała kurczowo dłonie na jego dłoniach, które utraciły swoją groźną moc i leżały bezużytecznie na szarym kocu. Beata modliła się w duchu: „Niech umrze, niech wreszcie umrze!", i tak się stało. Czwartego dnia o piątej nad ranem obudził je telefon ze szpitala. Matka ocknęła się z letargu, wstąpiła w nią nowa energia, zajęła się przygotowaniami do pogrzebu, zrobiła pierwszy obiad od wypadku, zupę pomidorową z przecieru. Beata zwymiotowała wszystko, co zjadła. Następnego dnia do drzwi zapukała babcia i to był koniec mieszkania w bloku, koniec przezwisk i bycia znajdą.

Ojca marynarza wymyśliła bez większego namysłu. Doskonałe usprawiedliwienie dla jego nieobecności, dla luksusu w domu dziadków. Nowa Beata, która narodziła się na Leśnym, w domu-przystani, miała już nigdy nie słyszeć przezwisk, miała być obiektem zazdrości i podziwu innych dzieci. Stara Beata, która płakała w poduszkę i w przypływie rozpaczy kopała prześladowców ciężkimi juniorkami, została na blokowisku. Mogła się dalej błąkać jako duch między szarymi blokami i parkingami ogrodzonymi siatką, straszyć dawne koleżanki, które rzucały jej spojrzenia pełne wyższości.

Ale kiedy nowa Beata już na dobre zaistniała, kiedy przypominała te amerykańskie blond dziewczęta ze szkół o dziwnej nazwie „junior high", które pokazywano w niedzielnych filmach, jak roześmiane tańczą z najprzystojniejszym chłopcem w szkole, a wokół nich układają się w krąg twarze wykrzywione zazdrością, wtedy pojawiła się ta nowa, zakłócając harmonię trójkąta złożonego z ulepszonej Beaty i podziwiających ją dwóch przyjaciółek.

Aneta znalazła zdjęcie, kiedy pomagała ciotce przy przeprowadzce. Po śmierci wujka, wyniszczonego chorobą płuc, ciotka uznała, że nie da rady mieszkać sama w swoim mieszkaniu w robotniczych blokach w Ursusie. Postanowiła się przenieść, tym bardziej że przeszła na wcześniejszą emeryturę i nie musiała już zrywać się codziennie o szóstej rano do pracy. Ciotka pracowała w fabryce, w kadrach, a wujek w tej samej fabryce, na hali, ich życie toczyło się ustalonym rytmem: praca od siódmej do piętnastej, obiad, telewizja, spacer, sen. Pod koniec życia wujek na spacerach coraz częściej się męczył, aż wreszcie ostatnie spacery odbywał po korytarzu trzypokojowego mieszkania, z sypialni do łazienki i z powrotem, kilka razy dziennie, w tempie tak szybkim, jak pozwalała butla z tlenem i stojak z kroplówką podłączoną przez najstarszą córkę, pielęgniarkę.

Ciotka już nie płakała. Jej oczy były suche jak kamień i równie nieruchome, czerwone i matowe jak dwa guziki przyszyte do szczupłej, ładnej jeszcze twarzy. Rozglądała się bezradnie po mieszkaniu zastawionym kartonowymi pudłami, jakby nie wiedziała, od czego ma zacząć. Aneta siedziała nad szklanką stygnącej herbaty i spodeczkiem z konfiturą wiśniową do momentu, kiedy cisza stała się nie do wytrzymania.

– Ciociu, to ja coś może zacznę – powiedziała. – Za dwa dni tatuś ma mieć ciężarówkę na parę godzin, musimy wszystko spakować.

– Tyle rzeczy... – starsza kobieta popatrzyła na nią bezradnie. – I po co nam było tyle rzeczy, te figurki jakieś, te włocławki? – zatoczyła łuk ręką, wskazując na zawieszone na ścianie w równym rzędzie biało-niebieskie talerze. Zdjęła jeden z nich, ręka jej zadrżała, talerz spadł na ziemię i rozbił się na biało-błękitne skorupy.

– Niech ciocia usiądzie – powiedziała Aneta. – Ja spakuję.

Kilka godzin później, kiedy włocławki bezpiecznie spakowane leżały w pudle razem z enerdowskim szklanym czajniczkiem do herbaty i innymi drobiazgami, zabrały się do książek. Wujek, choć robotnik, kochał książki. Stały na półkach rzędem: seria Z Kolibrem, seria Szczęśliwej Siódemki, Klub Siedmiu Przygód – pozostałość po trójce dzieci bawiących się niegdyś w tym mieszkaniu, opowiadania amerykańskie i powieści rosyjskie, bo mimo znaczka Solidarności przypiętego agrafką do maty na drzwiach wujek powtarzał zawsze, że nie narodu nienawidzi, ale systemu, że kto nie zna literatury rosyjskiej, ten nie może nazwać siebie wykształconym, choćby był profesorem.

Z jednej z grubych, dawno nieodkurzanych książek wypadło czarno-białe zdjęcie klasowe. Trzydzieścioro nastolatków przed szkołą, której wygląd wyraźnie wskazywał na jedną z tysiąclatek: charakterystyczne okna z sześcioma szybami, szare mury, przy płocie niedawno zasadzone topole, niewiele grubsze od patyków. Odwróciła fotografię. Z tyłu, w gąszczu podpisów i dedykacji, ktoś wpisał „klasa III B matematyczna, 1972 r.".

Rozpoznała średnią córkę ciotki, nieco młodszą od mamy. Ciocia Jola była sekretarką, roztaczała zapach peweksowskich perfum, malowała powieki na zielono i chodziła w bluzkach z bufiastymi albo kimonowymi rękawami. Z pierwszego małżeństwa miała syna, ojciec zabrał go ze sobą, gdy wyjechał do Austrii w delegację, z której nigdy nie wrócił. Jola, rozwódka, była czarną owcą w rodzinie, wujek, widząc ją w kolejnej wymyślnej kreacji z kolejnym kolegą z pracy, cmokał z dezaprobatą i kręcił głową. Trudno było ją rozpoznać jako pyzatą nastolatkę z widoczną nadwagą, w obcisłych dżinsach i białym swetrze z golfem wystającym spod szkolnego fartucha. Przy dokładniejszym obejrzeniu na fotografii wyraźnie widać było błyszczyk i tusz na rzęsach. Aneta zastanawiała się, czy po zrobieniu zdjęcia ktoś zaprowadził ciocię Jolę do szkolnej toalety i dopilnował, żeby zmyła niestosowny makijaż z ust i oczu. Po chwili jednak jej uwagę przykuła dziewczyna stojąca nieco z tyłu, w drugim rzędzie. Z jej szczupłej twarzy patrzyły charakterystycznym upartym spojrzeniem duże niebieskie oczy, jasne włosy związała z tyłu. Nie uśmiechała się.

– Kto to jest, ciociu?

– Czekaj, czekaj… – starsza pani założyła okulary w grubej rogowej oprawie i sięgnęła po zdjęcie. – No jakże, to przecież nasza Jola, w liceum, trochę przed maturą. Nie poznajesz? – dźgnęła chudym palcem pyzatą twarz w pierwszym rzędzie.

– Nie, ciociu, nie Jola, tamta. Kto to jest?

– Ech… – ciotka westchnęła. – To Hanka. Hanka się zmarnowała, ale to dłuższa historia.

OJCIEC

Moja matka się zmarnowała. Słyszałam to już wcześniej z ust babci, ale nigdy wprost. Tylko w podsłuchanych rozmowach, jakie prowadziła z matką, z dziadkiem, ze swoimi przyjaciółkami, które bywały w naszym domu – eleganckimi paniami po sześćdziesiątce, z farbowanymi włosami i przyciemnionymi brwiami, z fryzurami niezmienionymi od lat sześćdziesiątych, kiedy to hollywoodzkie aktorki wprowadziły modę na tapirowane koki, w kostiumach pachnących na równi naftaliną i perfumami. Matka wymawiała się bólem głowy i znikała w swojej sypialni, tak jak znika dzisiaj, kiedy na kolacji zjawiają się znajomi Marka, stateczni panowie w jej wieku, we włoskich garniturach albo strojach *casual* kupionych w najdroższych londyńskich butikach. Kiedy wspólnicy zasiadają do lekkiej, wyrafinowanej kolacji, którą wcześniej przygotowujemy z mamą i panią Nadią przez wiele godzin, matka znajduje jakieś usprawiedliwienie, żeby zniknąć na piętrze, gdzie leży i czyta do momentu, aż goście wyjdą. Wówczas pojawia się ponownie, jak duch, w białym puszystym szlafroku, żeby pomóc mi sprzątnąć nakrycia i załadować zmywarkę, robi sobie mocną herbatę i każe opowiadać, jak minęła kolacja. Różnica jest tylko taka, że dwadzieścia lat

temu znikała na górze z butelką wina i kieliszkiem w obję-
ciach, a dzisiaj ucieka przed samym widokiem butelki wina
w obawie o to, że butelka okaże się znowu silniejsza i swoim
ciężarem ponownie ściągnie ją na dno, w otchłań niedopitych
drinków, rozciągniętych samogłosek, tuszu do rzęs spływa-
jącego na policzki w pijackim płaczu z żalu o całą niespra-
wiedliwość świata.

Wtedy, gdy słyszałam te rozmowy babci, pragnęłam tylko
jednego – poznać ojca, sprowadzić go z powrotem, żeby od-
czarować matkę i moje nieszczęsne życie bękarta udającego
dziewczynkę z dobrego domu. Wyobrażałam go sobie jako
marynarza, przemierzającego oceany świata na samotnym
żaglowcu jak nasz bohater Leonid Teliga, jak Thor Heyer-
dahl na inkaskiej tratwie, jak Centkiewiczowie na polarnych
szlakach. Marzyłam, że powróci, ogorzały, ze srebrem na
skroniach, i weźmie mnie i matkę w ramiona, podniesie do
góry na rękach zahartowanych od mozolnego splątywania lin
i opuszczania żagli, na rękach pokrytych zawiłym tatuażem
ze splecionych kotwic, syren i serc, a w tych sercach, naprę-
żających się i kurczących zgodnie z grą mięśni, będą nasze
imiona: Hania i Beatka.

Kiedy go wreszcie poznałam, okazał się jednym wielkim
rozczarowaniem: drobny człowieczek w szarym płaszczu na
śmierdzącym starymi sikami i niepranymi kurtkami bezdom-
nych peronie warszawskiego Dworca Centralnego. Szary jak
okładzina peronu, o ziemistej twarzy urzędnika okolonej
rzadką bródką, w dużych okularach skrywających worki pod
szarymi oczami. Droga walizka na kółkach stojąca obok niego
przytłaczała go, górowała nad nim. Nie był wyższy ode mnie,
nawet w drogich austriackich butach na podwyższonych obcasach. Ale to były już czasy, kiedy drogie austriackie buty
można było kupić w samym środku Warszawy i trzeba było
czegoś więcej, żeby zaimponować nigdy niewidzianej, porzuconej nieślubnej córce, która czekała na peronie z idiotyczną

tablicą w ręku – na białym brystolu wymalowane czarnym tuszem imię i nazwisko: Jerzy Kossowski. Podwójne S jak pretensjonalne aspiracje do czegoś lepszego niż zwyczajny Kosowski. Uścisnął mi rękę pulchną, spoconą dłonią. Zauważyłam szeroką, złotą obrączkę wrzynającą się w wodniste, napuchnięte mięso serdecznego palca. W taksówce mówił dużo o podróży, o cienkiej kawie serwowanej w pociągu, o widokach za oknem, za którymi tęsknił. O tym, że austriackie Alpy nijak się mają do polskiego pola pociętego ścieżkami i kępami drzew. O poranku, kiedy mgła podnosi się i odsłania brunatne, wilgotne ściernisko. Mówił o wszystkim, tylko nie o najważniejszym. Mówił wiele i płynnie, cichym, monotonnym głosem. Pracował w banku, w dużym i ważnym banku, jak podkreślał co chwila, nie był byle kim, został zaproszony jako ekspert od bankowości do naszego kraju, w którym banki jak dotąd kojarzyły się z bezpieczną kasą Grobelnego i kolejką rozwścieczonych emerytów pomstujących na człowieka, który ukradł oszczędności ich życia. On, Kossowski przez podwójne S, miał wykładać na bankowej konferencji, opowiedzieć, jak powinien wyglądać porządnie prowadzony prywatny bank, on zjadł przecież na tym zęby i wypisał setki długopisów najlepszej firmy. A przy okazji postanowił spotkać się ze mną, o której słyszał, ale której nigdy nie widział, do której nie napisał listu, której nie poprosił o fotografię ani o kasetę z pierwszymi przedszkolnymi wierszykami nagraną na starym grundigu. Myślał, że łatwiej zniosę spotkanie jako osoba właściwie dorosła, dziewiętnastoletnia, prawie zamężna, bo zaręczona z mężczyzną o dwadzieścia lat starszym. „To dobrze, najważniejsza jest stabilność – mówił – chłopak w twoim wieku nie da ci tego, co może dać mężczyzna; mężczyzna da ci to, czego ja nie dałem twojej matce".

I to był jedyny raz, kiedy zahaczył o temat najważniejszy. Nie zdobył się na to, by odpowiedzieć na wszystkie niezadane pytania. Nie spotkał się z matką, odrzuciła jego zaproszenie do hotelu Marriott, gdzie zatrzymał się w jednym z mniejszych, zwyczajnych pokoi, które i tak w tamtych czasach olśniewały amerykańskim luksusem; w pokoju z widokiem na bazar pod Pałacem Kultury, przypominający mrowisko pełne bezładnie krzątających się mrówek nowego polskiego kapitalizmu. Zabrał mnie do restauracji na dole, oddzielonej od przejścia podziemnego pod Dworcem Centralnym szklanym murem, niedostępnej dla przechodniów wpatrzonych w przezroczyste ściany, za którymi jedliśmy kurczaka w śmietanie. Nad kurczakiem zaczął pokazywać fotografie – kolorowe, bez tej charakterystycznej zieleni typowej dla enerdowskich klisz ORWO, zrobione drogim japońskim aparacikiem, który za jednym naciśnięciem przycisku ustawiał wszystko, co potrzebne. Zdjęcie rumianej, farbowanej na żółty blond żony, też emigrantki, uczesanej na Crystal z *Dynastii*, z przydługą grzywką nadającą jej wygląd podstarzałego spaniela o obwisłych, przypudrowanych policzkach. I fotografie trojga dzieci: dwóch chłopców nieco młodszych ode mnie, bliźniaków, ale niepodobnych, obu w drogich dżinsach, i mniej więcej dziesięcioletniej dziewczynki w różowo-szarym kombinezonie narciarskim, pozującej na ośnieżonym stoku. Daniel, Adam i Anna. „Uniwersalne imiona", wyjaśniał z dumą – imiona, z którymi można żyć w dowolnym kraju świata, niezdradzające pochodzenia z prowincjonalnego pępka Europy Wschodniej, od niedawna dumnie nazywanej Środkową. „Beata też jest uniwersalnym imieniem – zauważył, nadziewając kawałek mięsa na widelec – matka dobrze wybrała, czy wiesz, że po łacinie oznacza błogosławioną?"

„Wiem", odpowiedziałam, chociaż najbardziej na świecie chciałam rzucić sztućce na talerz, tak by białoszary sos rozprysnął się po obrusie, poplamił granatowy garnitur „mojego ojca" i pochlapał jego drogie, oprawione w złote druciki okulary bankowca, których szkła zmieniały kolor w zależności od natężenia światła.

Myślałam, że po tym spotkaniu wszystkie poprzestawiane fragmenty mojej układanki wskoczą na odpowiednie miejsce, że Beata z lustra jednym skokiem zajmie miejsce Beaty prawdziwej – bękarta i podrzutka, córki pijaka, półsieroty. Że nagle zniknie moja przeszłość, a ja stanę się kompletna i nareszcie prawdziwa. Nic takiego się jednak nie zdarzyło. Dokończyliśmy kurczaka, zjedliśmy deser, tiramisu, wtedy egzotyczne, dzisiaj najpospolitszy z możliwych deserów. On wrócił do swojego hotelowego pokoju, a później do swojej żony i dzieci o uniwersalnych, światowych imionach. Przysyłał kartki z życzeniami świątecznymi, podpisane „Jerzy z rodziną", jak gdyby czuł, że w żaden sposób nie jest godny używać słowa „ojciec" w stosunku do swojej córki porzuconej, kiedy była jeszcze kilkumilimetrowym zarodkiem o zamkniętych, rybich oczach. Gdy urodziłam Mareczka, przysłał drogie firmowe śpiochy i pluszową pozytywkę na łóżeczko.

Zmarnował moją matkę, zmarnował mnie. Boli nadal tak samo, jak wówczas, kiedy się dowiedziałam.

1987: LITTLE LIES

– Jak ty malujesz te paznokcie? Zobacz, upaprałaś sobie cały palec lakierem! – Beata wybuchnęła śmiechem.

Siedziały we trzy na łóżku Karoliny, na miękkim biało-brązowym kocu drukowanym w pędzące konie, przekazując sobie z ręki do ręki buteleczkę ciemnoróżowego lakieru, który Karolina wyjęła z łazienkowej szafki. Urodziny Gośki zasługiwały na dobry lakier, lakier z matczynych zapasów, a nie jakąś tam celię w odcieniu perłowym. Beata już trzepotała w powietrzu smukłymi palcami, żeby lakier szybciej wysechł, Aneta zaś, z rozpuszczonymi włosami i wyrazem skupienia na twarzy, usiłowała idealnie rozprowadzić błyszczącą emalię na różowej płytce paznokcia. Mimo skupienia dziewczyny lakier układał się w nierówne smugi i pokrywał częściowo obgryzione skórki wokół paznokci.

– Pośrodku maluj, nie po brzegach! – Karolina podniosła głowę znad „Bravo", które czytała, czekając na swoją kolej.

– Szkoda gadania, nigdy się nie nauczy – Beata wzruszyła ramionami. – Zresztą, na co jej pomalowane paznokcie do tych rozklapanych buciorów, i tak nikt na nią nie spojrzy!

– Jesteś chamska – Aneta podniosła wzrok znad malowanego paznokcia, pędzelek wyjechał daleko poza płytkę i zostawił różową smugę na opuszce palca, ciemnej jeszcze od niedokładnie zmytego atramentu. – To nie moja wina, że moich rodziców nie stać na szpilki i dżinsy z bazaru.

– Może gdyby twój stary poszedł do jakiejś roboty, zamiast siedzieć na ławce przed domem, to miałabyś porządne ciuchy – odgryzła się Beata.

– Wiesz, że mój ojciec jest chory! – Aneta wybuchnęła. – Gdyby mógł pracować, toby pracował!

– Dobrze pamiętam, że jest chory, bo siedział w więzieniu? – zapytała Beata słodkim głosem pełnym fałszywej troski.

– Nie siedział za przestępstwo. Wiesz, dlaczego i kiedy siedział! Zabraniam ci naśmiewać się z mojego ojca!

– Tylko proszę, daruj nam opowieści o dzielnym tatusiu z Solidarności. Zamiast tego może weź zmyj ten paznokieć, bo wyglądasz jak fleja.

Beata odwróciła się i na znak, że rozmowa zakończona, wzięła od Karoliny „Bravo" i otworzyła na stronach z tekstami piosenek. Aneta jednak nie uznała dyskusji za zamkniętą. Zmyła wszystkie różowe paznokcie, odstawiła lakier na stolik nocny, po czym wstała z łóżka i nachyliła się nad Beatą.

– Możesz się wyśmiewać ze mnie, ale wara ci od moich rodziców – powiedziała cicho. – A zwłaszcza od mojego ojca. Może jest chory, może nie stać go na ciuchy dla mnie, może przez niego mieszkam w kuchni i nie dostaję do szkoły słodyczy z Peweksu, ale przynajmniej mój ojciec nie uciekł z podkulonym ogonem jak twój. Przynajmniej wiem, że kocha mnie i mamusię, nie jest jakimś gówniarzem, dla którego byłabym kłopotem, którego trzeba się pozbyć, jak ty. Wiesz, że chcieli cię wyskrobać, a jak dziadek się nie zgodził, to twój kochany tatuś uciekł? Żeby przypadkiem nie mieszkać z twoją pijaną mamuśką i z tobą! – rzuciła, wybuchnęła płaczem i wybiegła z pokoju, trzaskając drzwiami.

Karolina pobiegła za koleżanką, dogoniła ją przy furtce. Aneta nie zapięła kurtki. Jej szare, rozpuszczone włosy zwisały w strąkach wokół twarzy pokrytej czerwonymi plamami od płaczu i pryszczami zwiastującymi początek paskudnego trądziku. „Beata miała rację – przemknęło Karolinie przez myśl – tu żaden lakier nie pomoże, ona jest po prostu tak brzydka, że nawet nie powinna w żaden sposób zwracać na siebie uwagi...", ale po chwili zawstydziła się tej myśli. Spróbowała objąć przyjaciółkę, jednak przy prawie dwudziestu centymetrach różnicy wyglądało to komicznie. Aneta strząsnęła jej dłoń ze swojego ramienia.

– Chyba przesadziłaś, co nie? – zaryzykowała nieśmiało Karolina. – Skąd możesz wiedzieć takie rzeczy?

– Wiem, nieważne skąd. I tak miałam wam powiedzieć.

– Wiesz, ale nie mówi się takich rzeczy... nawet jeżeli to prawda. Jesteś pewna, że to prawda? Bo jeśli tylko tak powiedziałaś, żeby jej dokuczyć, to świństwo.

– Idź sobie. Zawsze jej bronisz. Jesteś taka sama jak ona.

– Daj spokój... – Karolina zawahała się, nie wiedząc, co odpowiedzieć.

– Taka sama. Cholerna ubecka córeczka. Masz ciuchy z bazaru i drogie kosmetyki od matki i wydaje ci się, że to najważniejsze, co można mieć. Przyjaźnisz się ze mną z litości, a potem razem z Beatą wyśmiewacie się ze mnie, bo nie mam jakichś dżinsów czy jakiejś kasety, jakby to było takie cholernie ważne.

Karolina chciała zaprzeczyć, ale przypomniała sobie, co pomyślała przed chwilą, i nie potrafiła. Może Aneta miała rację, może nie, teraz jednak do Karoliny dotarło, że stoi na chodniku pokrytym warstewką szronu, a jej stopy w cienkich kapciach marzną, i nagle zapragnęła wrócić do pokoju, do buteleczki z lakierem i ciemnej spódnicy naszykowanej na popołudniowe urodziny Gosi. Odwróciła się więc i weszła z powrotem do domu.

Beata siedziała na tapczanie w tej samej pozycji co przedtem – długie nogi zgrabnie podwinięte, dłonie z wyschniętymi już paznokciami trzymające gazetę. Nikt z zewnątrz nie mógłby się domyślić, że wewnątrz skamieniała.

Wiedziała, że gdzieś istnieje proste wyjaśnienie faktu, dlaczego nie ma ojca, a jedyną jego namiastką był wiecznie pijany ojczym o dłoniach porośniętych rzadkimi włoskami. Wiedziała, że te wszystkie niedomówienia, te „daleko", „musiał wyjechać", „tak w życiu bywa", musiały coś kryć, jakąś prawdę, którą miała poznać, kiedy przyjdzie pora. Zawsze jednak łudziła się, że wyjaśnienie okaże się proste i romantyczne. Że ludzie, którzy kiwali głowami na widok jej matki, robili to z podziwu, nie – jak teraz domyśliła się w nagłym przebłysku – z politowania i pogardy dla dziewczyny, która głupio wpadła i zmarnowała sobie życie, a teraz nie potrafiła nawet ułożyć go na nowo.

Nie marynarz. Nie osobistość tak ważna, że nieślubna córka zrujnowałaby mu karierę. Nie tajemniczy opozycjonista ani szpieg, który wyemigrował w obawie o życie swoje i rodziny. Nawet nie zwykły, żonaty facet przerażony konsekwencjami swojej zdrady. Nastolatek, pryszczaty nastolatek z tłustymi włosami. Zobaczyła w wyobraźni Mirka, jego skórzaną kurtkę i tlenione blond włosy uczesane na żel. Mirka, który, dowiadując się o ciąży tej ślicznej dziewczyny z młodszej klasy, rzuca niedbale: „No trudno, wpadliśmy. Wiesz, znam jednego lekarza, który zrobi to prywatnie, tylko poproś starych o forsę, przecież są dziani, mają szmal". Zobaczyła siebie samą, wzruszającą ramionami w geście pogardy dla tego pomysłu... lecz po chwili wyobraziła sobie siebie za lat piętnaście, trzydziestoparoletnią, zmarnowaną i żałosną, i poczuła, że nie potrafiłaby się zdobyć na taką pogardę. Raczej bezwolnie, jak owca na rzeź, dałaby się zaprowadzić do gabinetu lekarskiego, uśpić i pozbyć tego czegoś ze środka, co miałoby ją przeistoczyć w pozbawione chęci do życia zombie podobne do matki.

Widząc Karolinę, wzruszyła ramionami w geście odrzucenia, przywołała na twarz uśmiech i odłożyła „Bravo" na koc.

– Ten kawałek Pet Shop Boys jest po prostu boski – powiedziała na głos do przyjaciółki, a po chwili, jakby przypomniała sobie o czymś kompletnie nieistotnym, zagadnęła: – A jak Wrona, obraziła się?

Po latach wszystkie trzy: i Gośka, i Beata, i Karolina, wiedziały jedno – nigdy nie wróciłyby do okresu dorastania. Nawet gdyby śmierć Anety nie położyła się cieniem na ostatnich miesiącach w szkole, nawet gdyby czwarta przyjaciółka nie została na zawsze uwięziona w tym najgorszym okresie jak motyl w bursztynie, nawet gdyby każdej z nich nie śnił się po nocach czerwony rower leżący w błocie na pegeerowskich polach. Budziły się z tych snów zlane potem, o czwartej rano – w porze, kiedy ciężko chorzy i staruszkowie umierają z westchnieniem ulgi, a niemowlęta przestają oddychać i czekają martwe w swoich kołyskach na poranne przebudzenie matek, nieświadomych jeszcze, że kolejny dzień wyryje się w ich pamięci na zawsze i zostawi w niej ciągle krwawiącą ranę. Gośka, Beata i Karolina, budząc się nad ranem, zawsze wiedziały, że za żadną cenę nie chciałyby jeszcze raz przeżyć tych kilku lat wykluwania się z dziecinnych kokonów.

Dorosłym życie czternastolatki wydaje się łatwe i proste, dorośli fantazjują o powrocie do wieku dorastania. Jednak nikt z dorosłych nie chciałby znaleźć się po raz kolejny na prywatce z okazji piętnastych urodzin koleżanki z klasy, będąc czternastolatką ze zbyt jaskrawym makijażem i zbyt długimi paznokciami, czternastolatką skrępowaną niezliczonymi regułami i zasadami postępowania, czternastolatką zajmującą określone miejsce w hierarchii klasy i szkoły i poświęcającą wszelkie siły na to, aby tego miejsca nie stracić. Dorosłe kobiety, fantazjujące o pierwszych tańcach z uroczymi blondynami z równoległej klasy, zapominają o powodzi łez i nawale upokorzeń, którymi droga do tego tańca była usłana, o bólu odrzucenia i kłujących szpilkach drwiny.

Prywatka u Gośki miała odbyć się dokładnie według zasad, ustanowionych, a jakże, przez Beatę, która jako pierwsza zaczęła dwa razy do roku zapraszać do domu dziadków na „prywatki". Spotkania te odbywały się zwykle w salonie, przy zgaszonym górnym świetle i muzyce z magnetofonu, z udziałem gromadki spłoszonych niezwykłą sytuacją lub, przeciwnie, rozbawionych i przesadnie wymalowanych dziewczyn i grupki chłopców okupujących kanapę, zmieniających kasety w kasprzaku, opowiadających sobie na ucho świńskie dowcipy i rechoczących pod nosem. Dziewczyny tańczyły w kółeczku na środku pokoju, biczowane kpiącymi spojrzeniami chłopców, do chwili kiedy któryś z nich nie wstał z kanapy i nie podszedł nonszalancko z rękami w kieszeniach do wybranej, mrucząc pod nosem: „Można prosić?", a wtedy wokół tańczącej pary powstawała pustka wypełniona tylko śmieszkami i szeptanymi uwagami. Kiedy zaczynały się wolne piosenki, atmosfera w pokoju gęstniała od wyczekiwania, rozczarowania i tłumionej zawiści. Na kanapie powstawała loża szyderców złożona z kilku najbrzydszych dziewcząt, pokrywających głośnym chichotem dojmujące poczucie odrzucenia, a wybrańcy losu kołysali się powoli na środku dywanu – jej ręka na jego karku, jego dłoń na jej plecach, na pasku dżinsów, jego adidasy czy juniorki depczące w jednostajnym rytmie na dwa, czasami jej policzek przytulony do jego policzka. Wtedy, zwykle najpóźniej po kilku minutach, światło zapalało się i z kuchni czy sypialni wkraczała czujna babcia albo mama z propozycją: „Może komuś jeszcze ptysia?" albo „A co wy tu tak po ciemku, dzieci?", i nastrój pryskał, a układ sił wracał do stanu początkowego: oni na kanapie, one pośrodku. Po chwili światło znowu gasło. Ta gra trwała aż do momentu, w którym światło nieodwołalnie zapalano i trzeba było wracać do domu, przechowując w pamięci chwile wolnego tańca do opisania w pamiętniku.

Również tego dnia wszystko odbyło się według wyznaczonego planu. W salonie, na niskiej politurowanej na wysoki połysk ławie ustawiono półmiski ciasta i talerze kanapek, butelki ptysia, mazowszanki i kupionej specjalnie na tę okazję coli. W misce pyszniły się wystane w kolejce mandarynki i trochę orzechów, a pod żyrandolem kiwały się smętnie trzy czy cztery balony. Kiedy Karolina weszła do pokoju, ujrzała dobrze jej znany obrazek – na kanapie okrytej żakardową narzutą Tomek i kilku innych chłopców z klasy dyskutowało o ostatnim meczu Legii, a Gośka z Anetą i inną, nielubianą, lecz bogatą dziewczyną, chichotały pod nosem. Wszystkie trzy miały na sobie dekatyzowane dżinsy „marmurki" z ozdobnymi kokardkami nad kostką i jaskrawozielone swetry, wszystkie trzydzieści paznokci mieniło się odcieniem metalicznego różu. Trzecia dziewczyna, Iza o matowych brązowych włosach i pospolitych rumianych policzkach, umalowała usta na kolor perłowy, przez co sprawiała wrażenie, jak gdyby wcale nie miała warg, a wnętrze jej ust zaskakiwało ciemną głębią za każdym razem, gdy je otwierała, żeby cokolwiek powiedzieć.

Karolina wręczyła Gośce prezent, kolczyki kupione z kieszonkowego – duże, czerwone koła ozdobione maleńkimi piórkami w kolorach tęczy. Nalała sobie ciepłego ptysia o mdłym chemicznym posmaku do paradnej szklanki ze złotym brzeżkiem i przycupnęła na brzegu kanapy. Iza zaniosła się hałaśliwym śmiechem na jeden z dowcipów opowiadanych przez chłopców na wersalce i przeniosła się w ich stronę, nastawiając ucha i ani na chwilę nie przerywając rechotu. Gośka wykorzystała ten moment, żeby nachylić się do Karoliny i szepnąć:

– Słyszałaś o Anecie? O ojcu Beaty?

– Słyszałam – westchnęła Karolina – przy mnie się pokłóciły.

– Myślisz, że to prawda?

– Nie wiem, czy to prawda, a co mnie to obchodzi? – Karolina rozzłościła się nagle, nieoczekiwanie dla siebie samej. – To ojciec Beaty, nie mój. Beaty problem, dajcie jej spokój!

– Mówiłam, jesteś taka sama jak ona – Aneta oderwała spojrzenie od okna, przez które obserwowała późnojesienny zmierzch.

– No to jestem, najwyżej, i co z tego? – Karolina wzruszyła ramionami, starając się nie zwracać uwagi na łzy wzbierające w oczach koleżanki, ale dostrzegła je Gosia i zareagowała jak zawsze, po Gosinemu:

– Masz tu chusteczkę, nie maż się, zaraz przyjdą inni!

– Będzie wiesz kto? – zainteresowała się Karolina.

Sens tego wieczoru, jak i wszystkich poprzednich spotkań, miał polegać na oczekiwaniu, czy Krystian się pojawi, na liczeniu jego spojrzeń i ukradkowym obserwowaniu go, kiedy dziewczyna była przekonana, że on na nią nie patrzy. Na wbijaniu pomalowanych paznokci w spocone wnętrze dłoni po zakończeniu każdego tańca w nadziei, że przed kolejnym podejdzie właśnie do niej. Marzenia Karoliny nie wychodziły jeszcze poza te trzy minuty monotonnego kiwania się przy wolnej piosence – policzek przy policzku, zapach taniej wody kolońskiej i potu, spocona dłoń o obgryzionych paznokciach na plecach, rozmowa przyciszonym głosem. Przez te trzy minuty, jak i przez cały wieczór, nie wolno było dać po sobie poznać oczekiwania ani przejęcia, należało mieć znudzony wyraz twarzy mówiący „jesteś beznadziejny", a po zakończeniu tańca chichotać w grupce dziewczyn pod oknem. Niczego więcej nie była w stanie sobie wyobrazić; wszystko inne zostało splugawione przez pryszczatego w ciemnej sali kinowej. Słowo „pocałunek" przywoływało wspomnienie oślizgłego cudzego języka wpychającego się do ust, kojarzyło się z zapachem stołecznych i płynu po goleniu. Więc nic poza tańcem i rozmową, żeby nie zepsuć wszystkiego, nie dołączyć tego doświadczenia do katalogu wspomnień brudnych, przejmujących obrzydzeniem na samą myśl.

– Raczej nie – powiedziała jednak Gośka. – Beata ma przyjść z Mirkiem, więc on się pewnie nie pojawi.

I rzeczywiście, Beata weszła uwieszona na ramieniu postawnego blondyna, ściągając na siebie wszystkie spojrzenia. Jako jedyna odważyła się założyć buty na wysokim obcasie i minispódniczkę z tureckiego dżinsu. Buty miała czarne, lakierowane, najmodniejsze w tym sezonie, o czubkach tak ostrych, że można by nimi zabić. Mirek nie zdjął kurtki, odpiął tylko rękawy, przez co wyglądał jeszcze bardziej jak taksówkarz czy mechanik albo jeden z tych ludzi, którzy pod bazarem sprzedają dolary – skórzany bezrękawnik z brązowej, przecieranej skóry, podwinięte dżinsy, biała koszula i szopa tlenionych włosów w niezdrowo żółtym odcieniu blond. Zaborczo obejmował Beatę w talii, odgradzając ją od tych wszystkich szczeniackich spojrzeń i komentarzy z wersalki, grupka chłopców nie była dla niego konkurencją, miał nad nimi przewagę trzech lat, męskiego głosu już po mutacji i cienia zarostu na policzkach, zdradzającego, że pod blond farbą musi być co najmniej szatynem. Nie rozdzielili się zgodnie z zasadami, usiedli razem na dużym, miękkim fotelu – ona na jego kolanach zamiast podejść do dziewczyn zbitych w gromadkę nad ciastem i ptysiem. „Kolejna reguła złamana, wszystko przestaje być oczywiste. Skoro tak łatwo postępować wbrew zasadom, to dlaczego ja nie potrafię?", myślała Karolina, a jednocześnie podziwiała pancerz przyjaciółki i to, jak szybko ochłonęła po popołudniowej kłótni z Anetą.

Beata rozgląda się po pokoju z chłodnym zaciekawieniem sławy. Będzie królową tego balu, jak i wszystkich poprzednich. Nawet to, że parę godzin temu dowiedziała się najgorszej prawdy o sobie, nie zmieni tego, że jest przeznaczona na królową wszystkich balów. Rozkoszuje się spojrzeniami chłopców, niespodzianka – nawet Tomek na chwilę oderwał oczy od Gośki i ukradkiem lustruje jej nogi założone w pozie podpatrzonej u prezenterki telewizyjnej z tego teleturnieju, który dziadkowie oglądają co sobota – łydki skierowane na bok, kostki stykają się, ostre czubki szpilek dotykają podłogi. Dłoń Mirka na ramieniu jest duża, męska i daje jej pewność, że nie osunie się w tył, nie ugnie pod ciężarem tego wszystkiego, co próbuje ją przygiąć do ziemi. Jednocześnie w minach koleżanek odczytuje wyraźnie jak w książce informację, że wiedzą. Dostrzega nieskrywane współczucie w oczach Gośki, ale i iskierkę złości. Za co? Za wyśmiewanie Anety? No, nie żartujmy, ona jest wprost stworzona do wyśmiewania. Biedne, żałosne, rozczochrane brzydactwo w obwisłych dżinsach, stoi z tą miną zbitego psa i patrzy w podłogę, chciała raz być lepsza, zemścić się za wyśmiewanie, ale nie udało się, nie zobaczy królowej Beaty pokonanej. Nie ona. Nie dzisiaj. Szkoda tylko, że nie ma tego nowego, największym sukcesem wieczoru byłoby zobaczyć jak on, otoczony przez te wszystkie wpatrzone w niego dziewczynki gotowe całować ślady jego stóp, będzie wpatrywał się tylko w nią z tym wyrazem zawodu w oczach, który ona lubi najbardziej. Właśnie tak, Beata najbardziej lubi, gdy patrzą na nią, wiedząc, że jest nieosiągalna, że należy do kogoś innego, a może po prostu do siebie samej, że jest tak daleko, że nawet nie można jej dotknąć. Dlatego teraz z uśmiechem poprawia się na kolanach Mirka, prezentuje smukłe łydki raz jeszcze, notuje powstrzymywane oburzenie na twarzach koleżanek i sięga po ciastko.

Nie wiadomo, kto przyniósł wino, czerwone Egri Bikavér, prawdopodobnie wykradzione z barku któregoś ojca. „Kolejne odstępstwo od zasad", myśli Karolina. Najwyraźniej dzisiejszy wieczór ma być przejściem do innego świata, gdzie nic już nie będzie takie jak wcześniej, do świata, w którym dziewczyny bezwstydnie obściskują się ze swoimi chłopakami, a chłopcy na kanapie popijają wino z butelki przemyconej w jednym z plecaków, teraz stojącej za wersalką, żeby nie dostrzegło jej czujne oko rodziców. Światło zgaszone, Beata i Mirek kołyszą się na środku parkietu przy wolnej piosence Madonny, obok nich Gośka z Tomkiem. Karolinie trafił się Wojtek z ostatniej ławki pod oknem: okulary, kręcone brązowe włosy aniołka i nieco zbyt pyzata twarz. Kiwają się, gubiąc co chwila rytm, rozmawiają o klasówce z fizyki i o wychowawcy, co jakiś czas patrzą na siebie, żeby zatuszować fakt, że on szuka wzrokiem tyłka Beaty opiętego dżinsowym materiałem, a ona wpatruje się w drzwi wejściowe w nadziei na przyjście spóźnionego gościa. Na koniec dziękują sobie za taniec – dziękują szczerze, z ulgą, że wreszcie się skończył. Karolina z radością wraca do ławy z jedzeniem, a Wojtek podchodzi do Izy i prosi ją do następnego tańca. W tym momencie Karolina łapie wbite w nią oskarżycielskie spojrzenie Anety, która nie zatańczyła jeszcze ani razu, siedzi jak przyspawana do krzesła, i natychmiast po tym, jak przechwycono jej spojrzenie, odwraca się i udaje obojętność. Konwencja wymaga drwiny, poważne rozmowy nie są mile widziane, więc Karolina, ośmielona pociągniętym ukradkiem łykiem wina z butelki, przybiera najbardziej zaczepną minę, jaką potrafi zrobić, i rzuca:

– Co, zazdrościsz mi Wojtka? Nie ma czego, tak samo dobrze tańczy jak gra w nogę. – To aluzja do meczu międzyklasowego, w którym Wojtek przepuścił cztery gole, zostając tym samym na wieki najgorszym bramkarzem w historii szkoły.

Aneta jednak nie odpowiada złośliwością, patrzy tylko na Karolinę i wreszcie mówi:

– Ty naprawdę niczego nie rozumiesz, prawda? Naprawdę jesteś taka sama jak Beata. Lakier do paznokci, ciuchy, Wojtek, Tomek, Krystian...

Karolina rumieni się jak zawsze, kiedy ktoś wymawia imię Krystiana. Nienawidzi tego, jej ciało jest zdradzieckie, nie współpracuje, czerwone policzki ujawniają wszystko, co stara się ukryć.

– Czego niby nie rozumiem? – pyta więc. – Bo ja naprawdę nie wiem, o co tobie chodzi.

– Nie ma sensu ci mówić, i tak nie zrozumiesz – Aneta odwraca się z westchnieniem.

I właściwie na tym kończy się wieczór, nic godnego uwagi już się nie dzieje, wreszcie Tomek chowa pustą butelkę po winie do swojego plecaka, wszyscy powoli wychodzą. Karolina ubiera się, obok Wojtek wkłada swoją straszną kurtkę, która wygląda jak norweski sweter haftowany w jelenie i gwiazdy. „To najbardziej wieśniacka i obciachowa kurtka w szkole – mówią dziewczyny – weź, Wojtek, oddaj ją bratu", i wybuchają śmiechem. Wracają grupką, jest dopiero dziewiąta, ale zimowa noc zapada szybko, deszcz przestał padać, lecz kałuże chlupią pod nogami w juniorkach i relaksach. Jakoś tak się dzieje, że Karolina i Wojtek zostają sami, na końcu uliczki widać już światełko w szklanej puszce z numerem na ścianie jej domu i wtedy chłopak nachyla się nad nią, i pyta:

– Mogę cię pocałować?

A Karolina, zamiast odpowiedzieć, wybucha śmiechem i patrzy na niego z niedowierzaniem. Wreszcie wykrztusza z siebie:

– Odbiło ci?

I zanosząc się śmiechem, rusza w stronę domu, już w tej chwili szlifując w myślach to, co jutro opowie koleżankom w szkole, ale przez jej śmiech przebija głos wściekłego, upokorzonego chłopca, który nie dba o to, co powiedzą inni:

– Co, pewnie ty też jesteś lesbą? Wolisz dziewczyny, co?

KRÓLOWA BALU

Marek za chwilę wróci z pracy. Czas pochować notesy, zdjęcia, stare papiery. Nie rozmawiamy o mojej przeszłości. Na mocy milczącej umowy zawartej niedługo po tym, jak się poznaliśmy, wszystko sprzed momentu, kiedy zobaczyłam go po raz pierwszy w sali prywatnej szkoły językowej, w której planowałam szlifować hiszpański, mający mi się przydać w przyszłej karierze, zostało zamknięte, uznane za nieistniejące, zakończone i nieobecne. Na początku, gdy był jeszcze tylko kolegą z kursu językowego, imponującym mi dojrzałością, telefonem komórkowym i pasemkami siwizny w ciemnoblond włosach, bałam się, że gdy dowie się o mnie więcej, gdy pozna prawdę, którą kilka lat wcześniej wyjawiła Aneta, to nie zechce mnie więcej widzieć. Że nie zobaczy już królowej balu, że zamiast niej ujrzy bękarta, córkę alkoholiczki, półsierotę, która cudem uniknęła śmierci w kuwecie na odpady gabinetu ginekologicznego dwadzieścia lat wcześniej.

Później – gdy wieczorami spotykaliśmy się pod pretekstem ćwiczenia hiszpańskich słówek, lecz zamiast nich z naszych ust wydobywały się tylko westchnienia i pomruki, kiedy zasypialiśmy na szerokim łóżku, które jeszcze niedawno dzielił z żoną – był chyba dobry moment na ściągnięcie pancerza.

Wtedy królowa balu mogła zdjąć suknię, zmyć makijaż i powiedzieć: „Oto jestem, to ja, nie ma nic więcej". Nie zdobyłam się jednak na to, podobnie jak nigdy nie zapytałam Marka o powody rozwodu z drobniutką szatynką, której zdjęcie znalazłam kiedyś na dnie szuflady. Milczenie, z początku powodowane strachem, później ciążące, wreszcie stało się naturalne. To, co przemilczałam, było jak chwiejna płytka w chodniku, którą omijamy, nawet nie patrząc, bo jest tam od lat, a nieostrożnie nadepnięta może ochlapać buty błotem, które czai się pod spodem, niedostrzegalne.

Byłam królową balu, królową własnego wesela, zaplanowanego z najdrobniejszymi szczegółami, prawem ciągłości zostałam królową podwarszawskiego domu – panią na włościach, uroczą gospodynią wieczornych kolacji, ochmistrzynią nadzorującą zmieniające się panie Oksany, Natasze i Nadie.

I tak miało pozostać, już na zawsze. Dobry moment na zwierzanie się i odkrywanie rodzinnych tajemnic minął bezpowrotnie wraz z zauroczeniem Marka. Porzuciliśmy role namiętnych kochanków, wrośliśmy w codzienność. Nasze dni odmierzały jego kolejne wyjazdy i spotkania z klientami oraz moje upiornie regularne miesiączki, z przerwami na poronienia – wczesne, krwawe, zostawiające niewidoczne blizny. Wreszcie po kosztownym leczeniu („Cena nie gra roli, adopcja nie wchodzi w grę, zrobimy wszystko, żeby mieć dziecko", powiedział mój mąż), po trzydziestce, stałam się królową-matką, a mój syn rósł w glorii kochanego, wyczekiwanego dziecka dwojga szczęśliwych rodziców, zaszczepionego na wszystkie choroby, i te groźne, i te tylko nieprzyjemne, uczonego czytania od pierwszych urodzin, ubieranego w niemieckie i włoskie ubranka. Dopiero Marek junior będzie mógł bez masek i udawania powiedzieć, że jest królem balu. Ja do końca życia będę odczuwać strach, kiedy spotkam dawnych znajomych z Leśnego, i do końca życia nie wolno mi będzie tego strachu okazać.

– Kochanie, jesteś na górze? – woła Marek.

Chowam pospiesznie zeszyty do szafy. W jednym z nich czerwieni się podwójnie podkreślone, opatrzone wykrzyknikiem zdanie: „Już wiem".

Teraz, gdy się nad tym zastanawiam, zadziwia mnie, że nie domyśliłam się wcześniej. Byłam ślepa tak samo jak Karolina, jak my wszystkie. To nie były czasy parad równości, a jedynym gejem, jakiego widziała w życiu większość z nas, był Justin z serialu *Tylko Manhattan*, chłopiec o tlenionej czuprynie i zachwycającym uśmiechu. Nawet nasza wyrocznia – „Bravo" – omijała te tematy, poświęcając zamiast tego wiele stron opowieściom o „pierwszym razie" chłopca i dziewczyny. Każda z nas miała mieć chłopaka. Chłopak, najlepiej starszy, z samochodem, a przynajmniej motorem, lub chociaż motorynką, był wyznacznikiem naszej wartości mniej więcej od siódmej klasy. Chłopak stojący pod szkołą, zabierający do kina, przyprowadzany na urodziny koleżanki przez dumną posiadaczkę. Kiedy w szkole pojawił się Krystian, było oczywiste, że wszystkie będziemy próbowały go zdobyć. Był jak luksusowa torebka od znanego projektanta – zupełnie inna jakość w porównaniu z osiedlowymi pryszczatymi. Jak puchar do postawienia na półce. Oczywiście niektóre z nas nie rozumiały reguł gry, niektóre były autentycznie zakochane i wzdychały po nocach, przestawały jeść i znaczyły nadgarstki tępymi żyletkami z ojcowskich maszynek do golenia, ale w rzeczywistości chodziło tylko o to, co zawsze – o pozycję na najwyższym szczebelku klasowej czy szkolnej drabiny. O nic więcej. Trudno było odgadnąć, że ktoś mógł tak kompletnie ignorować reguły gry, żeby aż stanąć po drugiej stronie boiska.

1987: SISTERS ARE DOIN' IT FOR THEMSELVES

Karolina odczekała, aż ojciec wyjdzie z Bertą na spacer – sportowe buty, znoszony dres, czarny rower odjechał osiedlową uliczką goniony ujadaniem szczęśliwego psa – i upewniła się, że babcia stoi nad prasowaniem w dużym pokoju, zanim zadała matce pytanie:

– Mamo, co to znaczy lesbijka?

Matka zatrzymała się nagle w pół kroku z nożykiem w jednym ręku, a dorodną, ogrodową marchwią w drugim. Prawie niezauważalnie potrząsnęła głową, zdradził ją tylko ruch miedzianych spiralek włosów na karku. Wreszcie odwróciła się do swojej córki, siedzącej przy kuchennym stole i bawiącej się nerwowo kosmykiem włosów.

– Wyjmij te włosy z buzi – powiedziała odruchowo.

Kolejny element codziennej litanii każdej matki: umyj ręce, wyprostuj się, wyjmij włosy z buzi, nie obgryzaj paznokci, przełknij, zanim zaczniesz mówić.

– Skąd znasz to słowo? – westchnęła. – Wiesz, że ojciec zabronił ci czytać te niemieckie gazety.

– Nie z gazety – Karolina wzruszyła ramionami. – Taki jeden powiedział, z klasy.

– To kobieta, która kocha kobiety – powiedziała wreszcie matka, po długim zastanowieniu.

Pytania dzieci zawsze ją zaskakiwały. Nigdy nie miała przygotowanej odpowiedzi, zawsze najtrudniejsze pytania pojawiały się, kiedy wracała przemoknięta i zmarznięta z pracy, kiedy stali na stacji w kilometrowej kolejce po benzynę, kiedy siekała marchew do obiadu. Dawniej wyobrażała sobie poobiednie rozmowy z dorastającą córką przy herbacie, dzisiaj z nożem w ręku i czarnymi obwódkami przy paznokciach od obierania warzyw bez chwili na przygotowanie odpowiadała na pytania: kto to jest ubek, co to znaczy lesbijka, czy to możliwe, że Kaśka z ósmej C naprawdę jest w ciąży, kiedy kupisz mi stanik, dlaczego Tomek powiedział na Krzyśka „ty cwelu", co to jest cwel? „Widocznie już musi tak być – pomyślała – powinnam cieszyć się przynajmniej z tego, że ciągle jeszcze przychodzi do mnie z tymi pytaniami, zamiast pytać tę wiecznie wymalowaną pannicę, z którą się przyjaźni".

– Dlaczego twój kolega tak powiedział? – zapytała badawczo.

– Nie chciałam go pocałować – zachichotała Karolina.

– Pewnie chciał ci dokuczyć.

– Pewnie tak. Debil. Dzięki, mamo.

Beata roześmiała się, jak zwykle z wyższością.

– Naprawdę nie wiedziałaś, co to znaczy? Ale z ciebie dziecko! Pytasz matkę o takie rzeczy? – dorzuciła, żeby ukryć zazdrość o matkę, którą można zapytać i która odpowie, a do tego będzie mówić wyraźnie i stać prosto, nie trzymając się przy tym kurczowo framugi.

– Ale dlaczego Wojtek powiedział „też"? Przecież ja nie znam nikogo takiego – Karolina była wyraźnie zbita z tropu. – Myślałam, że to jakieś normalne wyzwisko jak debilka czy coś.

– Chciał cię wkurzyć i tyle – Beata machnęła ręką, ale przyjaciółka nie dawała za wygraną.

– Przecież my wszystkie... no, może nie wszystkie, mamy chłopaków.

– Ja chwilowo nie mam – uściśliła Beata. – Mirek jest chamem i nie zamierzam go więcej oglądać. – Na widok zdziwionego spojrzenia Karoliny dodała: – Powiedział mi, że jestem łatwa, no to zobaczy, że tylko mu się tak wydawało.

– I co teraz zrobisz?

– Teraz biorę się za nowego – Beata wyszczerzyła zęby. – Nie mam konkurencji, nie sądzisz?

Karolina zbyt dobrze znała zasady gry, żeby jęknąć z zazdrości. Zresztą wystarczyło spojrzeć w lustro, by dostrzec, że w tym starciu nie ma najmniejszych szans. Na razie musiało jej wystarczyć wzdychanie, pisanie pamiętnika i rozmowy na przerwach, które gromadziła w pamięci, żeby potem wspominać i rozpamiętywać każde słowo wieczorami, kiedy siedziała przy biurku, udając, że odrabia lekcje. Zamiast więc wdawać się w przepychanki, kiwnęła tylko głową.

– Ale która w klasie...?

– Nie wiem – ucięła Beata.

W tej samej chwili usłyszały dzwonek do drzwi i weszła Gośka z Anetą.

Siedziały chwilę, nie robiąc nic, nie odzywając się. Lalki o zginających się kończynach ubrane w zakurzone suknie siedziały smętnie w szufladzie, przeczuwając, że już niedługo skończą w piwnicy, niepotrzebne nikomu. Ojciec Karoliny skonfiskował „Bravo", twierdząc, że pół roku przed egzaminami do liceum nie czas na czytanie głupot. W rzeczywistości pewnego dnia natknął się na rozłożoną gazetę, przeczytał ją od deski do deski i zdecydował, że dopóki córka mieszka pod jego dachem, więcej nie weźmie tej pornografii do ręki. Zostało tylko radio i rozmowy, nieklejące się od dnia urodzin Gośki i kłótni.

– Tak sobie rozmawiałyśmy o tym, że prawie wszystkie mamy chłopaków – zaczęła słodkim tonem Beata – i wyszło nam, Aneta, że tylko o tobie nic nie wiemy. Kto ci się podoba?

– Nic nie powiem – Aneta zarumieniła się i zakryła twarz rękami, czerwonymi i spierzchniętymi od mrozu.

– Powiedz, powiedz. Wszystkie chcemy wiedzieć – Beata nie ustępowała.

– Nie – odpowiedź była jasna, chociaż wyszeptana zza zasłony dłoni o chudych palcach i obgryzionych paznokciach. – Już wolę, żebyś dalej wyśmiewała się z moich rodziców.

– Daj jej spokój – poprosiła Gośka. – Znajdź sobie kogoś innego do dręczenia.

Beata nie potrzebowała już odpowiedzi. Wszystkie fragmenty układanki wskoczyły na swoje miejsce. Teraz mogła tylko zaczekać na odpowiedni moment, żeby się zemścić.

K.

Można wybaczyć nastolatce, że jest głupia i ślepa. Taki
wiek. Widzę, jak moja córka okrutnie wyśmiewa to, co jej
się nie podoba, jak rozmawiając przez telefon z przyjaciół-
ką, bezlitośnie punktuje prawdziwe i urojone wady znajomych, dorosłych, nauczycieli, kompletnie nie dostrzegając ich
prawdziwych uczuć i motywacji. Nastolatka beznadziejnie zakochana jest jeszcze bardziej ślepa. Koleżanki są wyłącznie
konkurencją na drodze do celu, nienawiść do nich wybucha
płomieniem od najmniejszej iskierki, a każdy odruch życzli-
wości bada się pod kątem drugiego dna, ukrytej groźby.
Teraz jednak powinnam widzieć lepiej. Krystian od kilkunastu lat nie żył, jedyne, co po nim pozostało, to krzyżyk przy
drodze na Mazury, jeden z tysięcy przy polskich drogach – ma-
sowym cmentarzu młodych, pijanych, naćpanych czy po prostu przekonanych o własnej nieśmiertelności, których życie
skończyło się w za starych i zbyt zdezelowanych powypadko-
wych samochodach sprowadzanych z Niemiec, w autach rodziców, na motorach pożyczonych od kolegów i braci. Aneta
nie żyła już prawie dwadzieścia lat. W dniu, kiedy wyłowio-
no jej ciało z kanałku, powinnam była wydoroślać. A jeśli nie
wtedy, to w dniu ostatnich odwiedzin na Leśnym.

Chyba jednak nie wydorośłałam, bo zupełnie nie byłam przygotowana na to, co powiedziała mi Beata przez telefon. Zadała mi tylko jedno, krótkie pytanie:

– Czy ty w ogóle zdajesz sobie sprawę, co oznacza litera K w pamiętniku Anety?

Odszukałam w torbie pomiętą wizytówkę z angielską nazwą stanowiska i znanym od wielu lat nazwiskiem. Renata wspomniała, że nie ma dzieci. Nie nosiła obrączki. Powodów mogło być tysiąc. Żyjemy w czasach dumnych singli, którzy na każdym kroku głoszą swoją wyższość nad nudnymi, uwięzionymi w małżeństwach rówieśnikami; singli, o których zabiegają firmy reklamowe, bo nie wydają większości pieniędzy na pampersy i ubranka dziecinne, mogą je więc wydawać na perfumy, wycieczki i drogie samochody; singli, o których zabiegają pracodawcy, bo oni nie biorą zwolnień na ciąże i na chorujące, usmarkane dzieci. Ale w rzeczywistości był tylko jeden powód.

Tym razem, kiedy usiadłyśmy naprzeciwko siebie, w tej samej pizzerii co wtedy, widziałam ją już inaczej. Ona mnie też.

– Dużo czasu ci zajęło skojarzenie faktów – odezwała się wreszcie, kiedy dźwięk łyżeczek mieszających brązowy cukier w naszych kawach latte stawał się już nie do zniesienia. – Myślałam, że jesteś bardziej... lotna.

Miała rację. Gdybym była lotna, pisałabym błyskotliwe analizy społeczne do tygodnika opinii zamiast reportaży, które kobiety w średnim wieku czytają u fryzjera, podczas gdy ich włosy nasiąkają powoli farbą czy płynem do trwałej.

– Nic między nami nie było, tak naprawdę – zaczęła. – Myślę, że w tym wieku to jest zawsze tak samo, nieważne, czy wolisz chłopaków, czy dziewczyny. Patrzysz na kogoś, zaczynasz marzyć o tym, żeby porozmawiać, przytulić się, zatańczyć. Łapiesz uśmiechy na szkolnym korytarzu, jeśli powie ci „cześć" na przerwie, czerwienisz się aż po koniuszki uszu i szalejesz z radości; kiedy cię nie zauważy, płaczesz cały wieczór w poduszkę. Piszesz o tej osobie w pamiętniku, który chowasz gdzieś w najgłębszej szufladzie przed rodzicami, wypisujesz sobie długopisem inicjały na dłoni tak, żeby udawały tatuaż. Wszystkie tak robiłyśmy, prawda? Skinęłam głową. Litera K otoczona czerwonym sercem, nieporadne wiersze pisane fioletowym długopisem w pamiętniku, brak tchu, kiedy zatrzymywał się obok mnie, żeby zapytać, co zadane z matematyki, wyszukiwanie pretekstów, by przejechać na rowerze obok jego domu. Pamiętałam to wszystko tak dobrze, jak gdybym nigdy nie dorosła, jakby ta piętnastoletnia dziewczyna cały czas mieszkała gdzieś w środku mnie. A jednocześnie doskonale wiedziałam, że nigdy potem takie uczucia nie byłyby możliwe. Zaledwie kilka lat później już nie rumieniłam się na widok Piotra, nie drżały mi ręce, nie wyczekiwałam na jego telefon. Noce przegadane o polityce, wieczory w kawiarni po Warszawskim Festiwalu Filmowym, imprezy, na których spieraliśmy się o postmodernizm i femi nizm jakoś naturalnie przerodziły się w bycie razem, w noce spędzane raczej w łóżku niż na dyskusjach. Kilka lat temu, kiedy seks stał się elementem małżeńskiego tła, seks po alkoholu i w długie weekendy, nawet nie zauważyłam jego braku. Dopiero brak rozmów zaczął mi przeszkadzać.

Renata chyba czytała w moich myślach, bo uśmiechnęła się leciutko.

– Nigdy później już nie jest tak samo. Te początki są magiczne, a potem już tylko wspólna sypialnia, wspólne rachunki za prąd, wspólny kosz na brudne staniki, wspólna paczka tamponów. Ale wtedy... Właściwie nic między nami nie było. Obie po prostu w tym samym czasie zorientowałyśmy się, że jesteśmy inne niż wy. I nie tylko dlatego, że nasi rodzice mieszkają w rozpadających się ruderach, a my nosimy za krótkie spodnie i stare kozaki po ciotkach. Nie masz pojęcia, jak to jest być innym niż wszyscy w siódmej klasie podstawówki.

Czy na pewno nie mam? – pomyślałam, ale nie odważyłam się wypowiedzieć tego pytania na głos.

Oczywiście, każda z nas w tamtych czasach zasypiała, rozpamiętując swoje dziwactwa i odstępstwa od normy, analizując każde wypowiedziane zdanie pod kątem tego, czy pasowało do wzorca wyznaczanego przez ogół. A jeśli starałyśmy się być inne, oryginalne, zbuntowane, to zawsze w grupie podobnych sobie, jak te trzy dziewczyny, które poznałam w liceum – zawsze ubrane na czarno, z włosami ufarbowanymi na ogniście czerwony kolor, zbite w spłoszoną gromadkę w kącie korytarza, ścigane spojrzeniami „normalnych”. Jednak ja nigdy nie byłam inna, choć bardzo chciałam, byłam za blisko wzorca i za bardzo plastyczna, nasiąkałam cudzymi zachowaniami jak gąbka. Pod koniec szkoły mówiono mi, że poruszam się, mówię i ubieram jak Beata, że można by nas brać za siostry. Teraz za to marszczę czoło poważnie jak Piotr – podpatrzyłam ten ruch u mojego męża zupełnie nieświadomie.

W odpowiedzi na moje milczenie Renata wzruszyła ramionami i nic więcej nie powiedziała, dopiłyśmy kawę i rozeszłyśmy się, jak kiedyś po szkole, ja do męża, ona do jakiejś nieznanej mi kobiety, czego mimo pozornej tolerancji, jaką lubiłam się szczycić, nie potrafię sobie nawet wyobrazić.

Po powrocie do domu sięgnęłam jeszcze raz po pamiętnik, schowany przed ciekawskim wzrokiem Weroniki w szufladzie, w której trzymam wygasłe gwarancje do dawno zepsutych urządzeń i nigdy nieprzeczytane instrukcje obsługi do tych wszystkich tosterów, kuchenek mikrofalowych i innych sprzętów, którymi obrośliśmy przez lata. Moja córka tam nie zagląda, podobnie jak jej ojciec woli coś zepsuć, próbując zmusić to do działania metodą prób i błędów, niż usiąść i przeczytać instrukcję. Zeszyt wypadł spomiędzy gwarancji do roweru treningowego a instrukcji obsługi discmana – niepasujący, nie na miejscu, żałośnie archaiczny, z epoki, w której te wszystkie sprzęty należały jeszcze do dziedziny *science fiction*.

Tym razem czytałam uważnie. Szukałam przecież dla siebie uniewinnienia, alibi, zdania, które powiedziałoby mi, że miałam prawo być ślepa i głucha.

„Bardzo trudno być tak blisko i nie dać nic po sobie poznać – przeczytałam już na trzeciej stronie *– siedzieć w tej samej sali, dwie ławki dalej, i udawać, że jestem taka jak one wszystkie, że K. nic mnie nie obchodzi"*.

Wszystkie udawałyśmy, że oni nic nas nie obchodzą – przynajmniej do chwili, kiedy Gośka i Beata znalazły sobie chłopaków. Do urodzin Gośki, na których wszelkie reguły zostały złamane. Patrzyłyśmy na nich, kiedy oni nie patrzyli, przemykałyśmy niby to przypadkiem obok ich domów, a kiedy do nas mówili, udawałyśmy, że nie słyszymy. Do chwili, w której Gośka i Tomek zaczęli znikać na przerwach, żeby całować się w zakamarkach szkolnej szatni, na schodach przy służbowym mieszkanku nauczyciela historii, w schowku za pracownią chemiczną, pośród próbówek i odczynników i pod czujnym spojrzeniem Marii Curie z czarno-białego zdjęcia. Do chwili, kiedy Beata usiadła na siodełku motoru, obejmując mocno Mirka, przytulona do skórzanej kurtki, a później wyrzuciła go jak zepsutą zabawkę, żeby zająć się nowym, tylko po to żeby dowieść nam, że potrafi. Zostałyśmy wtedy we dwie, porzucone i samotne, tkwiące w świecie przestarzałych reguł, przerażone... Ale ja nie mogłam znieść myśli, że pójdziemy razem na klasowe dno. Dlatego spędzałam jak najwięcej czasu z Beatą, przejmowałam jej sposób ubierania się i mówienia, jeździłam z nią i Krystianem do kina i na bazar, do glinianki i do lasu. Stałam tam bezużyteczna, trzecia, niepotrzebna i zawadzająca. Gniłam od wewnątrz z zazdrości – świadoma tego, jak żałośnie muszę wyglądać w ich oczach – byleby tylko być obok nich obojga. Zazdrościłam Beacie wszystkiego, zamieniłabym się z nią nawet na dom pachnący alkoholem i muzyką, żeby tylko być na jej miejscu. Aneta zeszła na drugi plan, nie było już rozmów o lataniu i o snach. Zaczęłam znowu zauważać, jak bardzo jej czerwony, poobijany rower odstaje od naszych, kiedy stawałyśmy pod budką z lodami, jak czerwone i spękane od mrozu ma ręce, jak poobgryzane paznokcie w odróżnieniu od naszych, spiłowanych w szpic i pociągniętych bezbarwnym, perłowym lakierem. Zaczęłam nienawidzić samej myśli o niej, bo skoro tak łatwo zdemaskowała Beatę i jej legendarnego ojca marynarza, to równie dobrze mogła zdemaskować mnie – to, że pod całym tym lakierem i ubraniami z bazaru na Skrze byłam tak samo przerażoną, brzydką, głupią gęsią jak ona. Nie mogłam na to pozwolić.

1988: DON'T DREAM IT'S OVER

„Co ja tu właściwie robię?", zastanawiała się ponuro Karolina.

Stała w lesie, w przedwiosenny dzień, płaty śniegu na polanie topniały powoli w promieniach niedzielnego słońca. U stóp niewielkiego pagórka, który podobno w zamierzchłych czasach był częścią prasłowiańskiego grodziska, a z którego została tylko ta kupka ziemi porośnięta mchem i krzakami, lśniła kałuża.

„Powinnam iść do domu, zamiast stać tu jak głupia i patrzeć, jak tych dwoje się całuje", pomyślała, wpatrując się w Beatę i Krystiana, objętych, wręcz wtopionych w siebie, i podobnych jak rodzeństwo, z blond włosami i niebieskimi oczyma zbuntowanych aniołów.

– Chodźcie, mieliśmy zbierać rośliny na biologię – krzyknęła ze złością, chociaż miała powiedzieć to cicho i spokojnie.

Beata oderwała się na chwilę od chłopaka i popatrzyła na nią tak, jak się patrzy na nieznośną młodszą siostrę.

– To zbierz trochę i dla nas, zaraz do ciebie dołączymy – rzuciła.

Karolina, spławiona, powlokła się przed siebie, wpatrując się na zmianę w podręcznik do biologii trzymany w ręku i w ziemię, na której jak na złość nie rosły żadne, ale to żadne przylaszczki, zawilce ani przebiśniegi. Nic tylko mech, zeszłoroczne liście i igły, i ostatni, topniejący śnieg.

Zza drzewa wyłonił się niespodziewanie duży, podpalany pies o zabawnym pysku. Przystanął przy Karolinie, merdając ogonem i radośnie poszczekując.

– Tofi! Tofi, spokój, siad! – Aneta pojawiła się w ślad za psem i na widok Karoliny uśmiechnęła się, niespodziewanie ładna w wiosennym powietrzu. – Cześć, fajnie, że też tu jesteś – powiedziała. – Trochę się wystraszyłam, że jestem sama, bo widziałam, że Zenek tu się kręcił.

– Zbieram rośliny dla siebie i Beaty – mruknęła Karolina, niepotrzebnie, bo dostrzegła w dłoni przyjaciółki garść drobnych zielonych łodyżek.

– Aha – Aneta uśmiechnęła się – to znaczy włóczysz się za nimi, jak zawsze, a teraz pewnie chcieli się ciebie pozbyć? To chodź nad kanałek, tam rośnie całkiem sporo kwiatów, niektóre już nawet kwitną.

– Daj mi spokój – Karolina rozzłościła się.

Usiłowała sobie wmawiać, że nie jest wcale trzecia i niepotrzebna na tym spacerze, ale skoro Aneta bez trudu to zauważyła, nie mogła już udawać sama przed sobą.

Tamci znaleźli je nad kanałkiem. Wyszli z lasu, poprawiając włosy, w które zaplątały się zeszłoroczne liście. Na twarzy Beaty błąkał się niewielki uśmieszek, Krystian patrzył w ziemię, nie trzymali się za ręce, szli obok siebie, jakby prawie się nie znali. Karolina próbowała domyślić się, co zaszło, ale wszystkie domysły prowadziły do jednego, a to z kolei powodowało, że nagle nie śmiała na nich spojrzeć, co dopiero odezwać się.

– I co, zebrałaś mi jakieś fajne rośliny? – zapytała Beata, kompletnie ignorując Anetę, siedzącą na zwalonym pniu obok psa.

– Masz – Karolina wyciągnęła rękę z garścią pogniecionych od ściskania w dłoni listków.

Tamta nawet na nie nie spojrzała, wzięła bez podziękowania i natychmiast przekazała chłopakowi.

– Muszę już iść – mruknął Krystian. – Starszy czeka.

– No to pa – Beata wspięła się na palce do pożegnalnego pocałunku – wpadnę po południu, powklejamy te zielska do zeszytu.

– Ja chyba też zaraz pójdę – wymamrotała Karolina, ale Beata powstrzymała ją, zanosząc się śmiechem.

– No jasne, pójdziesz po śladach, co? I pewnie masz pomysł na jakieś sztuczki, żeby zwrócił na ciebie uwagę, na przykład postawisz mu otwarty jogurt na furtce...

Na wspomnienie dowcipów robionych w młodszych klasach Karolina nie mogła się nie uśmiechnąć. Jakie to było proste jeszcze dwa, trzy lata temu – można było okazać komuś zainteresowanie, chowając mu tornister, uciekając z wyrwaną mu z ręki paletką do ping-ponga, stawiając na uchylonej furtce czyjegoś domu kubeczek otwartego jogurtu, żeby później dławić się od śmiechu, kiedy oblana ofiara rzucała wyzwiska.

– Zapomnij, moja droga, i pogódź się z tym – powiedziała z uśmiechem Beata. – Zajęty, zaklepany, mój.

Karolinie zabrakło nagle energii na sprzeczkę. Wycofała się do lasu, ściskając w kieszeni jakieś liście. Nie miała pojęcia, jak się nazywały, ale nieważne, były tak zmięte i zmaltretowane, że nadawały się już tylko do wyrzucenia.

– Czemu zawsze się na niej wyżywasz? – usłyszała głos Anety.

– Nie twój zasmarkany interes.

– Na niej i na mnie. Przeszkadzamy ci?

– Nie. Bawi mnie to.

– Co cię tak bawi?

– To, że wszystkie za mną łazicie. Jakbyście...

Tofi zagłuszył dalsze słowa szczekaniem. Karolina wstrzymała oddech, ale pies już ją wywęszył, łasił się do niej, trzymając w zębach patyk, gotów do zabawy. Rzuciła patyk, nie patrząc dokąd. Pies pognał jego śladem.

– ... zakochana. A tobie nawet nie zależy, chcesz tylko pokazać, jaka jesteś świetna. Żeby ci wszyscy zazdrościli. Jakby było czego!

– A nie ma?

– A jest? Czego ci mamy zazdrościć? Matki pijaczki, nieznanego ojca czy tego, że się puszczasz na prawo i lewo?

Nagle szczekanie, łomot w krzakach, trzask łamanych gałęzi, jęk, pies z patykiem. Karolina odskoczyła przerażona. Zza kępy krzaków wyłonił się Zenek, z szerokim, przypominającym uśmiech grymasem na twarzy zmiętej od alkoholu i lat jak chustka, zgnieciona w kieszeni i noszona tam wiele tygodni.

– Cześć, dziewczynki – wyszczerzył dziąsła ze spróchniałymi pniakami zębów.

– Cześć, Zenuś, jak tam? – Beata zachichotała, po czym odwróciła się z powrotem do Anety. – Jeśli komukolwiek powiesz, to ja powiem wszystko, co wiem o tobie. I cię zniszczę. Zniszczę cię tak, że nie pokażesz się więcej w szkole ani na osiedlu. I nie waż się mówić o grzechu i tych wszystkich świętych pierdołach z Oazy, bo dobrze wiesz, kto tu naprawdę grzeszy!

– Trzy dziewczynki! – ucieszył się Zenek, kokieteryjnie poprawiając beret na łysiejącej głowie. – Nie kłócić się, dziewczynki, nieładnie, powiem rodzicom!

– Spadaj, debilu! – Aneta usunęła się z zasięgu długich rąk o brudnych, popękanych paznokciach.

– Leć do domu, Zenek, mamusia cię szuka! – Beata nie straciła zimnej krwi. Po chwili dziwak wskoczył na rower i popedałował zawzięcie nogami w rybackich gumiakach w stronę osiedla, oglądając się trwożnie za siebie, czy mama aby na pewno go nie widzi.

Dziewczyny zbiły się w gromadkę, zbliżone tym złudnym poczuciem wspólnoty, jakie powstaje w chwili zagrożenia.

Zenek zmieniał się, nie był już tym nieszkodliwym dorosłym o umyśle pięciolatka, jakim był jeszcze kilka lat wcześniej. Coś w nim rosło, coś niedobrego. Coś, co czasem widać było w jego jasnych, niebieskich oczach, co przejmowało dziewczyny nagłym dreszczem, kiedy trafiały na to zamglone, nieobecne spojrzenie. Wydawało się, że oczami Zenka patrzy ktoś inny, uwięziony w śmiesznym, kanciastym ciele wysokiego chudzielca.

Czasem, kiedy któraś szła sama osiedlowymi uliczkami, wychodził zza krzaka czy zza rogu sklepiku i szedł za nią, nie odzywając się, nie zagadując dobrodusznie – nie jak dawniej, jak szczeniak, który chce się bawić, ale jak tropiący pies, skoncentrowany na woni wyczuwalnej tylko dla niego. Przestały go zaczepiać w żartach, poza Beatą, która zawsze igrała z niebezpieczeństwem, jakby sprawdzała, na ile może sobie pozwolić, jakby cały świat był jej rodzicem, pobłażliwym i niewymierzającym kary, dopóki nie przekroczy niewidzialnej granicy. Inne na widok wysokiej sylwetki na składaku przyspieszały kroku, pukały do pierwszej znajomej furtki, chroniły się w domach sąsiadów.

Zenek kursował na zielonych wigrach 2 pomiędzy szkołą, domem ukrytym za morwowym drzewem i domem Wandzi. Obok domu Wandzi przebiegało się w pędzie, ze strachem, że celnie rzucona przez nią butelka po tanim winie przeleci przez siatkę i rozpryśnie się z hałasem na chodniku pod nogami, bryzgając brązowym szkłem. Czasami Wandzia stała na obłupanych betonowych schodkach ganku, pod daszkiem z eternitu, w szlafroku w tym samym brudnobrązowym kolorze co jej twarz, nasiąknięta denaturatem i winem Okęcie, napuchnięta i nienaturalnie połyskująca, jakby nawoskowana. Czasami zaś spotykało się tych dwoje w krzakach na skraju lasu, gdzie kanałek płynął dziko bez mostków i betonowych obramowań, z dala od pegeerowskich pól. Tulili się do siebie i tulili butelki, z których pili. Wtedy trzeba było odejść jak najciszej, zanim Wandzia zaczęła wyrzucać z siebie potok niezrozumiałych przekleństw i złorzeczeń, a przede wszystkim zanim wstała i zaczynała sunąć jak brudny, przepity duch w stronę ciekawskich natrętów.

Lecz nawet samotnego Zenka należało unikać. Dlatego z ulgą odetchnęły, kiedy zniknął między drzewami, i odsunęły się od siebie. Aneta wzięła psa na smycz i powoli odeszła w stronę szosy, mamrocząc jakieś pożegnanie. Beata i Karolina nie odpowiedziały, wszystko zostało powiedziane wcześniej i niczego już nie dało się naprawić.

Telefon zadzwonił w niedzielę. Niedawno go założono, dzięki staraniom i znajomościom dziadka, i wciąż był nowością. Do Beaty dzwonił czasem Mirek z prośbami o jeszcze jedno spotkanie, o wyjaśnienie, przeprosiny, czy choćby wyjście do kina. Prosiła wtedy babcię, żeby mówiła, że wnuczki nie ma w domu, a babcia, kręcąc nosem na takie maniery, informowała chłodno, że Beatka nie podejdzie do telefonu, proszę zadzwonić kiedy indziej. Rzadko telefonował ktoś inny – podłączenie reszty osiedla do sieci planowano za kilka lat, a mieszkańcom bez znajomości musiały wystarczyć dwie budki, jedna na pętli, druga, zwykle zdemolowana i niedziałająca, obok szkoły. Wszyscy dzwoniący przestrzegali jednak niepisanej etykiety, mówiącej wyraźnie, że w niedziele nie telefonuje się do nikogo, chyba że zdarzy się nagły wypadek. Dlatego w niedzielę czerwony plastikowy aparat z przyciskami zamiast tarczy, co nadawało mu nowoczesny wygląd, milczał zwykle jak zaklęty, a jeżeli już się odzywał, była to zawsze pomyłka albo ciotka ze Stanów, która konwenansami nigdy się nie przejmowała.

Beata słyszy w ciche niedzielne przedpołudnie natarczywy dzwonek, przerywający krzątaninę babci w kuchni i melodię wygrywaną przez matkę na pianinie, nie porusza się. Słyszy tylko kroki i – pewna, że za chwilę babcia powie zdecydowanym tonem: „Pomyłka", i rzuci słuchawką, zirytowana, że odrywa się ją od szykowania niedzielnego obiadu – nie słucha, dopóki nie docierają do niej słowa:

– Zaraz podejdzie... nie? W takim razie słucham.

Długa cisza, babcia prawdopodobnie poważnie kiwa głową, kok srebrnoblond włosów porusza się jednostajnie w górę i w dół, w rytmie potakiwania. Wreszcie głos:

– Dziękuję, że powiedziałaś mi o tym, drogie dziecko.

Po chwili stuk zamykanej klapy pianina, cisza wypełnia miejsce po muzyce, z ciszy dochodzą głosy zbyt przytłumione, żeby je zrozumieć, podnoszące się w końcu do zdyszanego *staccato*.

– Niedaleko pada jabłko od jabłoni!

– Niech mamusia przestanie! To nie moja wina!

– Ładny miała przykład w domu, nie ma co!

– To niech mama z nią porozmawia!

I zaraz potem kroki na schodach, energiczne, stukające. Babcia nie uznaje kapci, nie w niedzielę przed obiadem, co najwyżej wieczorem przed filmem w telewizji. Podczas obiadu eleganckie pantofle to niezbędny element stroju. Po chwili Beata słyszy skrzypienie uchylanych drzwi.

– Wstań, dziecko, musimy porozmawiać.

Czerwone plamy na policzkach babci to nie tylko róż, a dłoń o wypielęgnowanych paznokciach jest szorstka i twarda, kiedy z trzaskiem styka się z policzkiem wnuczki.

– Czego ja się o tobie dowiaduję? – babcia starannie moduluje głos, ćwiczyła tę rolę już raz, szesnaście lat wcześniej. To rola jej życia. – Najpierw wagary, kradzieże, a teraz? Chłopcy? Wino? Jazdy na motorze? – Kolejny trzask. – Zastraszasz koleżanki? Nie tak cię chowaliśmy, nie po to cię zabraliśmy z tej śmierdzącej meliny, nie po to trzymam tu twoją matkę, zamiast ją wyrzucić na bruk, gdzie zapiłaby się na śmierć, żeby po raz drugi znosić taki wstyd!

Beata siedzi nieruchomo. Patrzy w okno, za którym wiosenne niebo lśni czystością, a na drzewach widać już delikatnie drżącą zapowiedź pierwszych liści. Na plakacie nad łóżkiem wokalista grupy A-ha uśmiecha się drwiąco rzędami białych zębów, obok starannie oprawione w ramkę zdjęcie hawajskiej plaży z palmami i olśniewająco białym piaskiem.

– Kto to dzwonił, babciu? – pyta wreszcie.

– Koleżanka twoja, z klasy. Nie przedstawiła się, nie ma za grosz manier to wasze pokolenie. Podobno straszyłaś ją, podobno widziała cię w lesie, w krzakach, z jakimś chłopakiem z klasy... z tym długowłosym, który pali i powtarza klasę. Nie życzę sobie czegoś takiego, nie w moim domu. Kiedy dorośniesz, proszę bardzo, zmarnuj sobie życie jak twoja matka, ale na własny rachunek, bo ja nie będę chowała w domu następnego pokolenia bękartów! Teraz będziesz tu siedziała, aż dojdziesz do odpowiednich wniosków. Powinnam była to zrobić już wtedy, kiedy przywieźliśmy cię z komendy po tej kradzieży – babcia kończy monolog.

Nie będzie oklasków, to nie scena operetki warszawskiej, ani nawet prowincjonalnego teatrzyku w dawnym mieście powiatowym. Zamiast braw – odgłos przekręcanego klucza w zamku.

Babcia zostawiła po sobie ciszę, w którą wlewa się powoli muzyka. Matka ucieka w Chopina i szklankę whisky, jak zwykle. Beata ucieka przez okno, drąc niedzielne, białe, włoskie rajstopy z Peweksu na gzymsie pierwszego piętra.

NIEDZIELA

Niedziele straciły swój odświętny charakter. Choć kolejne partie mówią nam, jak źle jest handlować czy pracować w dzień święty, to nikt już szczególnie nie bierze sobie tego do serca. Podobnie z nakazami i zakazami savoir-vivre'u – kto dzisiaj, w dobie telefonów komórkowych, poczty elektronicznej i gadu-gadu, chcąc zadzwonić, zawracałby sobie głowę tym, jaki jest dzień tygodnia?

Niedziela zastała nas – zarówno mnie, jak i Piotra, który przecież agitował na osiedlu za zamknięciem całodobowego spożywczaka w święta – przy pracy. Nowinki kosmetyczne, wyciskający łzy przedświąteczny tekst o rodzinie nowych emigrantów – babcia w podwarszawskiej wsi z trojgiem wnucząt, matka gdzieś w Irlandii na zmywaku odbierała telefony pomiędzy zarabianiem na lepsze życie dla synów a spotkaniami z nowo poznanym mężczyzną. Matka trajkotała zirytowanym, podniesionym głosem, w przeciwieństwie do babci, która łagodnie wyliczała nieszczęścia chłopców.

Miałam dosyć i ich, i całej rodziny, przy kolejnym telefonie bardzo chciałam warknąć: „I po co wyjeżdżałaś, głupia babo, trzeba było zabrać dzieci, a nie teraz szukać wymówek i usprawiedliwień"– ale emigrantka była zbyt cenna.

Poszukiwaliśmy jej ponad miesiąc i stracenie jej oznaczałoby stratę kolejnego tekstu, więc kiedy usłyszałam sygnał, pomyślałam tylko, że nie powinnam była nigdy ustawiać w telefonie dzwonka w formie popularnego dwadzieścia lat temu przeboju. *La Isla Bonita* miała mi się kojarzyć już tylko z telefonami od redakcji i bohaterów, a nie z wakacjami i palmą pod niebieskim niebem.

Dzwoniła Angelika. Na dźwięk jej głosu zamarłam. Uświadomiłam sobie, że wolałabym po raz kolejny zapewniać emigrantkę, że nie sfotografuję jej byłego męża spędzającego czas pod sklepem monopolowym z konkubiną, niż usłyszeć to, co ma mi do powiedzenia siostra dawno zmarłej koleżanki.

– Niech pani już lepiej nic o nas nie pisze – powiedziała tamta, zanim zdążyłam się odezwać. – Wstyd byłby na całe osiedle, Jezus Maria!

– O czym pani mówi? – zapytałam.

Chwilę trwało, zanim zrozumiałam, że mimo parad równości, mimo billboardów z dziewczynami obejmującymi się i krzyczącymi butnie: „Niech nas zobaczą", Leśne nadal było miejscem, gdzie łatwiej było zaakceptować samobójstwo niż odmieńca, a dziecko z dwiema głowami prawdopodobnie wzbudzałoby mniejsze zainteresowanie niż dziewczyna zakochana w koleżance z klasy.

– Kto pani powiedział? – zainteresowałam się, ale ona już szlochała. Najwyraźniej była jedną z kobiet mających, jak to się dawniej określało, oczy na mokrym miejscu, kobiet, z którymi nie da się porozmawiać bez nagłych łkań, szlochów, chusteczki przy oczach.

– Jak to kto? Beata przecież! Podobno wszyscy wiedzieli, od samego początku. Podobno przez to Aneta się utopiła, nie mogła znieść ludzkiego gadania! To i lepiej, że się poszła utopić, gdyby taka żyła, byłby wstyd dla całej rodziny, mamusia nie dożyłaby siedemdziesiątki, a tak pożyła sobie przynajmniej, w smutku, ale nie we wstydzie!

Nie wiedziałam, co odpowiedzieć.

– Ja... ja przepraszam, że panią oskarżałam. Widać tak musiało być. I niech pani nie mówi nikomu, niech se tam wszyscy myślą, że to przez tego hipisa, on i tak nie żyje, niech mu ziemia lekką będzie! Gadanie mu już nie zaszkodzi.

Rozłączyła się, zanim zdążyłam odpowiedzieć, siedziałam zamyślona z komórką w ręku, czekając na coś jeszcze, cokolwiek. Komórka ryknęła: „Last night I dreamt of San Pedro..." Prosto w moje ucho. Podwarszawski numer – matka emigrantki. Nie odebrałam. Myślami byłam gdzie indziej. Angelika była w błędzie. Wszystko było naszą winą, co najmniej od urodzin Gośki, a na pewno od chwili, kiedy pewnej niedzieli w drzwiach mojego domu stanęła Beata w podartych rajstopach i kapciach.

1988: WELCOME TO THE JUNGLE

– Teraz możesz wybrać: jesteś ze mną czy z tą donosicielką – oznajmiła Beata od progu.

Jej oczy lśniły jakąś determinacją, której Karolina nigdy wcześniej nie widziała. To nie była Beata – królowa balu, tylko Beata – anioł zemsty z oczkiem na kolanie i potarganymi włosami.

– Doniosła moim dziadkom – wyjaśniła, kiedy siedziały już w pokoju, w scenerii czterech ścian pamiętających wszystkie rozmowy, docinki, kłótnie.

Ojciec Karoliny dawał za ścianą upust niezadowoleniu.

– Niedziela to nie jest dzień na wizyty – burczał – jedziemy dzisiaj do babci i nie życzę sobie żadnych spóźnień. A ta malowana lala miała się tu więcej nie pokazywać.

– To ważne, tato – Karolina nie bawiła się w wyjaśnienia.

Zamknęła drzwi do pokoju, tworząc namiastkę prywatności, choć w każdej chwili ktoś mógł wtargnąć, ojciec, matka albo Jacek z namolnym: „Pobawcie się ze mną".

– Co doniosła?

– Właściwie wszystko. O chłopakach, o tym, że byłam z Krystianem w lesie, że jeździłam z Mirkiem, że popalam i piję wino. Babcia nazwała mnie bękartem i zamknęła na klucz w pokoju.

– Co chcesz teraz zrobić?

– Mam plan. Teraz ja ją postraszę – powiedziała Beata.

Rower Anety leżał przewrócony, kierownica zaczepiła o oczko siatki okalającej szkolne boisko, więc nie przewrócił się do końca, ale trzymał się na tej kierownicy, z której zwisało niedbale okręcone żółte sznurowadło – jedyny modny dodatek, na który dziewczyny takie jak Aneta mogły sobie pozwolić. Drugie, owinięte ciasno wokół końskiego ogona z mysich blond włosów, nie rozkręciło się jeszcze, mimo że dziewczyna się szarpała. Karolina zamknęła oczy. Nie chciała na to patrzeć. Chciała być gdzie indziej, oglądać teraz jakiś głupi dziecinny program z młodszym bratem, odrabiać zadania z fizyki i cieszyć się, że okazała się wystarczająco odważna, żeby w tym nie uczestniczyć.

Pół godziny wcześniej, po skończonych lekcjach, Beata podeszła do Karoliny. Szatnia już opustoszała, kręcił się w niej tylko woźny z miotłą, nauczyciele wychodzili pospiesznie do domów, na wpół głusi po całym dniu pracy. Pachniało lizolem i obiadem ze stołówki: piątkowym, zimnym makaronem z grudami kwaśnego twarogu i skrzepłej śmietany wymieszanej z tłuszczem, zupą z rozgotowaną fasolą i ziemniakami, kisielem podawanym w wyszczerbionych białych kubkach z zieloną obwódką, półpłynną masą przelewającą się jak fantastyczna forma nieprzyjaznego życia. Kisiel w żołądku Karoliny podpływał do gardła i cofał się, pozostawiając kwaśny, wymiotny posmak. Aneta zatrzymała się na ich widok. Unikały się od tamtej soboty nad kanałkiem, starannie udawały, że się nie widzą, ostentacyjnie pożyczały ołówki od kogoś innego. Teraz Beata uśmiechnęła się swoim szerokim, publicznym uśmiechem, przeznaczonym zwykle dla nauczycieli i cudzych rodziców.

– Wiesz, przemyślałam to i postanowiłam ci wybaczyć – powiedziała, obejmując Anetę w pasie i prowadząc w stronę wyjścia z szatni. – Na przeprosiny mam dla ciebie niespodziankę. Chodź z nami.

Krystian czekał już w rogu szkolnego boiska. Butelka piwa w jego ręku była prawie pusta, druga walała się pod nogami, kopał ją jak piłkę. Dym dobrych papierosów unosił się jak chmura, rozwiewany powoli przez chłodny wiatr.

– Skoro donosisz na mnie i oskarżasz, to chciałabym, żebyś zobaczyła, o czym właściwie mówisz – powiedziała Beata tym tonem, którym zwykle wygłaszała referaty i odpowiadała przy tablicy, tonem dobrej, przygotowanej do zajęć uczennicy klasy ósmej. – Przecież nie możesz opowiadać moim dziadkom o czymś, o czym nie masz pojęcia, prawda?

Karolina została z tyłu, nie usłyszała więc, jak Beata tym samym szczebioczącym głosem szepce Anecie do ucha, wspinając się na palce, żeby dorównać jej wzrostem:

– Z facetem to zupełnie co innego niż z dziewczyną, zresztą sama zobaczysz. Na przeprosiny pożyczę ci mojego własnego chłopaka, jest naprawdę dobry – syknęła. – I zrobimy wam parę zdjęć na pamiątkę, na wypadek, gdyby ci się znowu zachciało donosić... Dawaj aparat! – krzyknęła do Karoliny, która stała odwrócona.

Karolina nie chciała widzieć tego uśmieszku na twarzy chłopaka, w którym od miesięcy była beznadziejnie zakochana, nie chciała patrzeć na to, co będzie się działo, a jednocześnie nie wyobrażała sobie, że mogłaby odwrócić się i po prostu odejść albo, co gorsza, pobiec po woźnego czy któregoś z mieszkających w służbowych mieszkaniach nauczycieli. Chciała to zobaczyć i nie chciała, chciała być obok i wyobrażać sobie, że to ona będzie ukarana w ten sposób. Ona nie szarpałaby się i nie broniła.

Stała więc obok, starając się nie słyszeć i nie widzieć, wygodnie zasłonięta krzakami ligustru, których gęste gałęzie odgradzały ją od tego, co rozgrywało się za nimi. Próbowała nie słyszeć trzasku migawki aparatu pożyczonego od babci. („Tylko nie zepsuj – powiedziała babcia – to moja pamiątka z Anglii. I nie rób za dużo zdjęć, ten papier jest strasznie drogi, i pokaż mi później, co sfotografowałaś". Więc Karolina przez cały poprzedni dzień fotografowała blade krokusy i kosmate sasanki, pędy roślin przebijające się przez płaty sczerniałego śniegu i nieśmiałe zawiązki liści na wilgotnych, czarnych gałązkach krzewów).

Odeszła parę kroków w głąb boiska, po chwili dołączyła do niej Beata, ściskając w dłoni aparat i kwadratowe kawałki błyszczącego papieru, na których z czerni powoli zaczynały wyłaniać się kontury postaci i światła. Wreszcie zza krzaków wyszedł i Krystian, zmęczony szarpaniną.

Kilka lat później zapytała o ten dzień – w jakimś cudzym łóżku na jakiejś imprezie, na której byli tylko ludzie studiujący filmoznawstwo albo architekturę wnętrz, ubierający się na czarno i pijący wódkę z gwinta; wszyscy mieli nienaturalnie błyszczące oczy i nienaturalnie wolno mówili albo zastygali pod ścianami wpatrzeni w nieznane zwykłym ludziom uniwersum wyłaniające się z dymu brązowej heroiny wciąganego do płuc.

– Powiedz, co właściwie zrobiłeś wtedy Anecie?

A on roześmiał się tylko i pociągnął ją na studenckie łóżko, nierówno zasłane, z prześcieradłem sztywnym jak blacha od zastarzałego potu i wylanych napojów. Na kocu balansowała niebezpiecznie puszka od piwa przepełniona niedopałkami, przy każdym ruchu chrzęściły okruszki i przylepiały się nieprzyjemnie do spoconej skóry.

– A nic – powiedział. – Tylko ją nastraszyłem, nie ruszyłem jej nawet, kto by ją tam chciał.

MILCZENIE

Studencka impreza – to chyba było nasze ostatnie spotkanie przed jego zniknięciem. Później było długie, czarne lato, a jeszcze później pojawił się Piotr. Rzeczywistość odzyskała kolory i kształty, a obrazy z Leśnego, i tak już zamazane długim czasem, jaki minął od naszego wyjazdu, zatarły się zupełnie.

Przez te wszystkie lata spotykałyśmy się z Gośką i Beatą. Trzymałam do chrztu najstarszego syna Gośki, kibicowałam Beacie w długiej walce z niepłodnością, świętowałyśmy udane *in vitro* i kupowałyśmy dzieciom Gośki prezenty na urodziny, Gwiazdkę i komunie. One odwiedzały mnie na moim blokowisku, kiedy wydawało mi się, że zostałam skazana na dożywotnie więzienie w towarzystwie wrzeszczącego, śmierdzącego tłumoczka, jakim była Weronika. Radziłyśmy Gośce, żeby dokończyła studia, choćby wieczorowo, kręciłyśmy nosem na jej kolejne ciąże, ale kupowałyśmy rożki i śpiochy w rozmiarze 56. Zazdrościłyśmy Beacie bogatego męża i podwarszawskiej rezydencji, a na pogrzeb jej babci zaniosłyśmy wiązankę złotych chryzantem z szarfą ozdobioną równie złotym napisem. Przyjaźniłyśmy się tak, jak trzy dorosłe kobiety mogą się przyjaźnić. Nie tak jak w szkole, kiedy nasz związek był wszystkim, ale po dorosłemu, wykrawając czas dla przyjaciółek spomiędzy naszych zleceń, chorób dzieci, wymagań szefów i mężowskich zachcianek. Spotykałyśmy się na kawie i na domowym serniku, one odganiały od siebie dym z moich mentolowych papierosów, ja krzywiłam się na mdlące perfumy Beaty, od których bolały mnie zatoki.

I przez te wszystkie lata ani razu, ani słowem nie wspomniałyśmy o naszej koleżance, która pewnego marcowego dnia, nastraszona przez nas, upokorzona do granic wytrzymałości, poszła utopić się w błotnistej, wezbranej po wiosennych roztopach wodzie osiedlowego kanałku. Nie wspominałyśmy Anety, nie wspominałyśmy chłopaka o włosach długich jak u anioła, otoczonego chmurą papierosowego dymu. Nasze wspomnienia o dorastaniu zblakły jak na tych paru fotografiach na enerdowskim filmie ORWO, na których po latach zostały tylko odcienie zieleni i brązu, czerń spłowiała do brudnej szarości, a czerwień do nadgniłej jarzębiny. Lata osiemdziesiąte w naszej pamięci były jak fotografie z albumów przechowywanych pieczołowicie przez nasze rodziny w bieliźniarkach obok haftowanych lnianych obrusów przesypanych kulkami na mole. Brudnozielone, przesycone jakimś nieprzyjemnym, a mimo to spokojnym światłem, pogrążone w wiecznym półmroku, nasiąknięte zapachem błota, ścierniska i owoców morwy. Pośród maleńkich domków i drzew, na chwiejnych mostkach nad kanałem, błąkały się trzy dziewczynki na swoich trzech rowerach, z kolorowymi sznurówkami we włosach, ubrane w dżinsy „marmurki" i białe adidasy albo enerdowskie sandały. Dziewczynki bez trosk i winy, bo i troski, i wina zmyły się wraz z prawdziwymi kolorami, dziewczynki tańczące do najnowszego przeboju Madonny i wpatrzone tęsknie w męskie twarze na plakatach wyciętych z „Bravo".

Drzwi pokoju Weroniki uchyliły się. W progu stanęła nieznana mi dziewczynka o ustach lśniących brokatem.

– Psze pani, przepraszam, mogę do łazienki? – zapytała.

– Nie możesz! – dobiegł głos z pokoju, a zaraz za nim rozbawione: – No, możesz, możesz, co się głupio pytasz.

Drzwi pozostały uchylone. Za nimi, w bałaganie, jaki potrafi zrobić wokół siebie tylko nastolatka, krył się taki sam świat jak ten, o którym zapomniałam. Co będzie pamiętać moja córka z tych najstraszniejszych lat życia, kiedy jest się tak zupełnie pomiędzy jednym światem a drugim? Kiedy nie można polegać na nikim poza tak samo zagubionymi rówieśnikami, kiedy jedyną drogą do dorosłości jest eksperyment – z papierosami, z chłopakami, ze sprawdzaniem, ile wytrzyma drugi człowiek, zanim pęknie jak źdźbło grającej trawy, w którą ktoś niewprawny zbyt mocno dmuchnął. Czy za dwadzieścia lat jednej z dziewczynek chichoczących teraz w pokoju nie będzie, a pozostałe będą z uporem godnym lepszej sprawy udawać, że nigdy nie istniała?

– Tomek? Daj spokój, to debil! – rozpoznałam głos Weroniki, zniechęcony, rozwlekający samogłoski jak zawsze, gdy się nudziła, a ostatnimi czasy nudziła się chyba bez przerwy. Nudziła się z innymi i ze sobą, a jej rozwlekły, jękliwy głos towarzyszył mi wszędzie, przez całe popołudnia i wieczory, które spędzałyśmy razem pod nieobecność Piotra.

– Jak debil, to po co się z nim lizałaś? – to Zuza, trzynastolatka w ciele osiemnastolatki, jedna z tych dziewcząt, o których oskarżeni mówią później: „Wysoki Sądzie, ale ja nie miałem pojęcia, że ona jest dopiero w szóstej klasie!".

– Zamknij się, moja matka jest obok!

– O kurde! Sorry!

Drzwi trzasnęły, zadźwięczała szybka obluzowana dawno temu, kiedy Weronika każdy sprzeciw akcentowała trzaśnięciem, żeby potem schronić się przed nami na swoim prywatnym terytorium. Drzwi mojego pokoju na Leśnym wydawały identyczny dźwięk – trzask i wibracja szkła niedbale umocowanego w aluminiowych ramkach. Za drzwiami cztery dorastające dziewczynki, takie same w swoich pragnieniach i marzeniach, niezależnie czy kalendarz pokazywał wiek dwudziesty czy dwudziesty pierwszy. Dziewczynki, które za nic w świecie nie przyznają się, że chłopak, z którym się całowały dwa dni wcześniej, podoba się im; dziewczynki gotowe zabić, byleby upodobnić się do tej, która zrobiła „to" pierwsza. Za kilka lat zmienią się w kobiety, a ich rozmowy płynnie przejdą z tematu chłopaków i szkoły na mężów i pracę, a lata dorastania zostaną w ich pamięci jak koszmarny, męczący sen, z którego nareszcie się obudziły.

Czy jednak kiedykolwiek się budzimy?

Gośka postanowiła wyprawić urodziny. Pretekstem miała być okrągła liczba. Jeden z tych rytuałów, które pielęgnujemy, żeby odsunąć myśl o przemijaniu. Trzydzieści pięć oznacza zmianę kremu do twarzy na ten „dla cery dojrzałej", oznacza, że firmy reklamowe nie będą już kierować swoich spotów do nas, a studenci przeprowadzający ankiety na ulicy będą mówić do nas „proszę pani". Trzydzieści to zapowiedź. Trzydzieści pięć to ostateczna granica, potem przechodzimy do krainy serum przeciwzmarszczkowego, krótkich, praktycznych fryzur i ubrań o klasycznym kroju.

Te urodziny to pożegnanie.

Nie zdziwiłam się więc, kiedy dostałam zaproszenie. A piętnastolatka tkwiąca gdzieś wewnątrz mnie aż podskoczyła z radości: impreza. Zabawne, że mimo tylu lat rozczarowań i bolesnego przyzwyczajania się do dorosłości takie zaproszenie wywołuje zawsze ten sam dreszcz i te same pytania: Kto będzie? Z kim zatańczę? W co się ubrać?

– Czy naprawdę musimy tam iść? – zapytał tylko Piotr.

– Musimy – odpowiedziałam. – Muszę pewne rzeczy zakończyć, obgadać.

– Znowu to samo – westchnął.

209

Jak zawsze skutecznie przywołał mnie do rzeczywistości. Uświadomił mi, że nie będzie to już potańcówka nastolatków, a dorosłe, poważne siedzenie przy stole; w tle jakieś radio z minimalną ilością gadania i muzyką w formacie „stare przeboje dla dorosłych, którzy chcą znów poczuć się młodzi", na stole jedzenie i wino. Mimo to wiedziałam, że muszę tam pojechać, ostatni raz porozmawiać o wszystkim tym, co musiałyśmy sobie przez ostatni miesiąc przypomnieć. Nigdy nic nie zostanie wyjaśnione, tajemnice zostały zabrane do grobów, a my żyjemy tylko dlatego, że ktoś na górze zapomniał o nas, zapomniał nas ukarać. A może wystarczającą karą było świętowanie trzydziestych piątych urodzin w skórach znoszonych jak stare ubrania?

URODZINY

Wieczór nareszcie się skończył. Mateusz, mimo wielogodzinnych jęków, odrobił matematykę, młodsi poszli spać, Tomek jeszcze siedział w warsztacie. Tomek... Moja ostoja i opoka, mój pierwszy i jedyny mężczyzna. Czasem, gdy słucham opowieści innych kobiet, wydaję się sama sobie beznadziejnie zacofana – od szesnastu lat jestem żoną chłopaka, którego pierwszy raz pocałowałam na szkolnej dyskotece w siódmej klasie, chłopaka, z którym wymieniałam się na fotosy Schwarzeneggera w roli elektronicznego mordercy, chłopaka, który zrobił mi dziecko w klasie maturalnej i nie pozwolił na aborcję, mimo że jeszcze wtedy była legalna. Wtedy go nienawidziłam, przez chwilę, bo od tamtego momentu było już dla mnie oczywiste, że nigdy nikt inny, tylko on. Gdyby wtedy zgodził się zawieźć mnie do ginekologa swoim rozklekotanym samochodem – dziewiętnastoletnią, z niechcianym obcym w brzuchu i zarobionymi na korepetycjach kilkoma milionami w kieszeni przyciasnych dżinsów – nigdy bym mu tego nie wybaczyła.

I tak zostaliśmy rodziną, przy wtórze złośliwych i pobłażliwych komentarzy znajomych i czarnych proroctw ciotek i wujków, którzy nie mogli pojąć, jak ja, nadzieja całej rodziny, mogłam tak głupio wpaść. Z chłopakiem o długich włosach, słuchającym strasznej muzyki. Tańczyli na naszym weselu w sali weselnej w pawilonach na Bródnie, pod papierowymi girlandami i wyciętym z tektury obrazem dwóch gołąbków, nie mogąc odkleić wzroku od mojego brzucha pod suknią ślubną. Był tylko Tomek i ja, i dziewczyny pośród wrogiej reszty... Karolina sama, Beata ze starszym od siebie mężczyzną. Zawsze wolała starszych, najchętniej wiele lat starszych, dorosłych i ustatkowanych... Tamten z wesela łysiał i nosił drogi garnitur w odcieniu stali, odróżniał się od weselników w garniturach zielonych, śliwkowych, czerwonawych. Pewnie patrzył na nas z góry. Wszyscy patrzyli na nas z góry, na nasze Leśne – ni to wieś, ni to miasto, pełne żałosnych prowincjuszy w białych skarpetach do zielonych garniturów.

Mimo to zostaliśmy rodziną – a rodzina jest najważniejsza. Tak uczyła mnie mamusia, Panie świeć nad jej duszą. Dlatego z wielkim niepokojem czekałam, aż Tomek przyjdzie z warsztatu. Powiedzenie mu tego, co chciałam opowiedzieć, znaczyło w pewien sposób zdradzić moją rodzinę, tę pierwszą. Ale mamusia mówiła też, że od tej pory mąż będzie dla mnie najważniejszą rodziną. Gdyby tylko mamusia żyła... opowiedziałabym najpierw jej.

Upiekłam Tomkowi jego ulubione ciasto, murzynka. Nauczyłam się piec już w podstawówce. Mamusia tak okazywała nam uczucia. Nie musiała mówić wiele, wystarczyło, że przyniosła sernik i usiadła obok, taka gruba i taka kochana, zawsze w tym swoim fartuchu. Jeszcze dziesięć, piętnaście lat i będę tak samo gruba. Nie potrafię przestać jeść, domowe jedzenie i ciasto to dla mnie jedne z najważniejszych rzeczy; każdego dnia, kiedy siadamy do stołu wszyscy razem, wiem, że cokolwiek by się stało, nic nas nie rozdzieli.

Tomek wrócił później, niż się spodziewałam. Herbata mi wystygła, zanim przyszedł. Musiał chyba zauważyć, że jestem niespokojna, bo zamiast jak zawsze najpierw przebrać się i umyć, podszedł, objął mnie i zapytał:

– Gosiaczek, co się dzieje? Smutna jakaś jesteś, stało się coś?

– Muszę ci coś powiedzieć – odpowiedziałam i ukroiłam mu porządny kawał murzynka.

Kiedy skończyłam, długo się nie odzywał.

– Dlaczego wtedy nikomu nie powiedziałaś? – zapytał wreszcie.

– Nie mogłam, Tomuś, przecież to rodzina jest, to mój kuzyn, syn ciotki Elki! Jak to tak, na rodzinę donieść?

– Mamusi mogłaś powiedzieć.

– Mamusia chyba wiedziała... – w końcu powiedziałam na głos to, czego domyślałam się od lat.

Przypomniałam sobie wizyty ciotki Elki, zamykanie się mamusi w piwnicy z ciotką, czerwone oczy ciotki. „Taki wstyd, Jezus!", szepnęła kiedyś ciotka zupełnie mimowolnie, jakby do siebie, ale zaraz oprzytomniała i szybko zmieniła temat.

– A ty, Gosia, skąd wiesz? – spytał Tomek, znowu po namyśle.

Zawsze taki jest, długo nic nie mówi, a potem, jak już wszystko sobie poukłada, to powie jedno zdanie i wszystko jasne.

– On rozmawiał ze mną czasem... Bałam się go, wiedziałam, że jest zboczony, ale znowu jak rozmawiał, to był zupełnie jak dziecko, chciał, żeby mu bajki opowiadać albo o szkole, to opowiadałam.

Tomek pokiwał głową i westchnął.

– Najważniejsze, że to nie wy – powiedział na koniec, zupełnie już spokojnie. – Musisz dziewczynom powiedzieć.

Tomek miał rację, jak zawsze. Beata ciągle się śmiała, że jestem uwieszona na Tomku jak bluszcz. Jeszcze pod koniec szkoły powtarzała mi, że mam spróbować czegoś nowego, że nie wiem, co tracę, że może za rogiem czeka inny, lepszy, bogatszy. Karolina się nie śmiała – ona nie ma i nigdy nie miała odwagi, żeby wyśmiać kogoś pierwsza, dopiero kiedy ktoś inny zacznie, dołącza się, bo wie, że ma poparcie – ale widziałam to w jej oczach. Ja jednak wiem, że dobrze wybrałam, i każda rozmowa z mężem utwierdza mnie w tym przekonaniu. Wybrałam dobrze, wbrew śmiechom i spojrzeniom innych.

Pretekst do spotkania nasunął się sam – moje urodziny, dawniej styczniowa tradycja, zawsze między Nowym Rokiem a szkolnym balem karnawałowym. Teraz to taki zaniedbany dzień: dzieciaki narysują laurki, najstarszy kupi jakąś ramkę do zdjęć czy książkę za pieniądze, które mu zostaną z gwiazdkowych prezentów, młodsze przyjdą i przytulą się, Tomek wróci wcześniej z kwiatami... Ale tego uroczystego nastroju już od lat nie ma, bo co tu świętować? Kolejny rok i coraz mniej ich przede mną, i coraz wyraźniej czuję, że któryś wreszcie będzie ostatni, chociaż jeszcze niedawno nie mogłam w to uwierzyć. Choć teraz już pora, aby zacząć odmierzać swój wiek urodzinami dzieci, chciałam jeszcze jeden raz poczuć, złudnie, że ten jeden dzień w roku na początku stycznia należy wyłącznie do mnie, a życzenia, które pomyślę, zdmuchując świeczki na torcie, spełnią się.

Przyszli jak dawniej, a zarazem zupełnie inaczej. Kiedyś, gdy dzieci były mniejsze, urządzaliśmy urodziny w restauracjach – w greckiej na piętrze pawilonu handlowego, w chińskiej w budynku obok piekarni, w meksykańskiej w śródmieściu. Później wcale, zawstydzeni coraz wyższą liczbą świeczek na torcie. A później jeszcze fajerwerkiem wybuchły trzydziestki. Rezydencja Beaty udekorowana lampionami, kobiety w wieczorowych sukienkach i francuskie wino w wysokich kieliszkach, sushi i sałatki z owocami morza. W ciasnym mieszkaniu Karoliny kilkanaście osób, za głośna muzyka, próbująca nieudolnie maskować brak tematów do rozmowy.

A tym razem nic wymyślnego, spotkanie u Gosi, tak jak wiele lat wcześniej. U Gosi grubej, poczciwej i nudnej, na której tle można zabłysnąć, jeśli się tylko chce. Bo tym przecież byłam dwadzieścia lat temu – tłem, wypełniaczem, fugą pomiędzy szaleństwami Beaty a mimikrą Karoliny, zawsze udającej kogoś, kogo aktualnie podziwiała. Byłam spoiwem i murem pomiędzy nimi a Anetą, wypełniałam luki i przerwy swoim tłuszczem i spokojnym głosem, zażegnywałam konflikty żartami i zapychałam ciastem mamusi usta otwarte do krzyku.

Przyszli – i już po kilkunastu minutach czas cofnął się do magicznej zimy, ostatniej przed strajkami i okrągłym stołem; do ostatniej zimy ojca Karoliny jako partyjnego dygnitarza; do zimy, po której przyszła z falą roztopów zupełnie inna, gniewna wiosna, pachnąca dymem z czerwonych marlboro i świeżą ziemią pola, przeoranego śladami rowerowych opon.

Tomek kręcił gałką radia, próbując znaleźć jakąś stację nadającą piosenki z lat osiemdziesiątych, lecz wszystkie złote i klasyczne przeboje uparły się na cukierkową epokę, z jej infantylnymi chórkami i ye-ye-ye, shoo-be-doo. Byłyśmy za młode, żeby nasze dzieciństwo zdążyło już awansować do złotych przebojów, i za stare, żeby słuchać stacji nadających miarowy, dyskotekowy łomot. Piotr z Markiem siedzieli na wersalce – na której dawno temu rozpierali się Wojtek w okularach i chłopcy z sąsiedztwa – i omawiali przyciszonym tonem ustawy, przepisy, system podatkowy, warunki do inwestowania. Jeden radził, a drugi zasięgał porady – biznesmen i polityk na kanapie, z kieliszkami wina w dłoniach, w starannie dobranych strojach typu *casual* kupowanych w markowych sklepach, na których tle lewisy i czarny golf Tomka wyglądały żałośnie.

Kobiety w kuchni w swojej odwiecznej roli kroiły chleb i warzywa na sałatkę, dekorowały półmiski. Na każdej imprezie czy piętnasto-, czy pięćdziesięcioletnie natychmiast kierują kroki do serca domu, do kuchni, i oferują pomoc. To w kuchniach na niezliczonych imprezach, prywatkach i spotkaniach zapadały w moim życiu decyzje, ważyły się losy małżeństw, obwieszczano najważniejsze nowiny – a wszystko to zawsze z nożem do siekania w ręku i kieliszkiem stojącym wygodnie obok deseczki do krojenia albo ze zmywakiem w garści i papierosem w umalowanych ustach. A potem, nie zdradzając żadnym gestem ani spojrzeniem tego, co przed chwilą się wydarzyło, przyjaciółki, ciotki, kuzynki, matki wkraczały do salonu, wnosząc dumnie misy sałatek i półmiski wędlin, wyjęte z pieca ciasta i świeżo zaparzone kawy i herbaty.

Tak jest teraz: Karolina, pociągając co chwila papierosa odłożonego na spodek obok zlewu i poruszając ustami, kroi seler naciowy w równe plasterki. Liczy. Wiem, że liczy. Liczy od zawsze, jeśli akurat nie pali, to liczy albo prowadzi w myślach długie rozmowy z nieobecnymi. W chwilach zapomnienia fragmenty tych rozmów wypowiada głośno. Beata układa szynkę i kindziuk na półmisku delikatnymi, niemal niezauważalnymi ruchami, jej perłowe paznokcie połyskują przy każdym ruchu.

Nie mam chwilowo zajęcia, pokroiłam chleb i ułożyłam w wiklinowym koszyczku, patrzę więc na nie i mówię:

– Chyba powinnyśmy wreszcie normalnie porozmawiać.

– Co masz na myśli? – Beata myli się i plasterek kindziuka ląduje na blacie stołu zamiast na złotobiałej powierzchni półmiska, jej twarz zamyka się w gładką maskę uprzejmego zdziwienia, ale ja wiem swoje.

– Muszę wam obydwu coś opowiedzieć.

1988: CHINA IN YOUR HAND

Gośka nie lubiła wchodzić na tamto podwórko. Nie ze względu na zardzewiałe graty i kłęby siatki ogrodzeniowej, którymi przy byle nieuważnym kroku można było paskudnie pokaleczyć łydki. Nie chodziło też o wielkiego, wyliniałego wilczura uwiązanego do budy, bo ten zwykle spał nad blaszaną miską pełną wody. Nie chodziło nawet o zapach, jaki dobiegał z domu – zapach starego linoleum i karmy dla kur, zapach dawno zburzonej wygódki za tylną ścianą, zapach gotowanych ziemniaków i brudnych męskich skarpet w wielkich czarnych kaloszach. Mama mówiła jej zawsze, że nie ma się czego bać, mama w tym domu się wychowała, z tymi ludźmi. „A co rodzina to święte, w rodzinie nie ma strachów ani złości", powtarzała zawsze. Mimo to Gosia ciągle czuła nieprzyjemny dreszcz na plecach, kiedy wchodząc na podwórze zarośnięte zdziczałymi jabłonkami i krzakami bzu, dostrzegała znajomą sylwetkę na krzywej ławce przed gankiem. A kiedy ten wysoki, siwiejący mężczyzna odzywał się do niej tonem przedszkolaka, który prosi starszą siostrę, żeby się z nim pobawiła, czuła, że tak nie powinno być, że to jakaś nieprawidłowość, tragiczne niedopasowanie. Tak nie powinno być. Wysocy, siwiejący mężczyźni

w beretach i gumiakach piją wódkę z wyszczerbionych butelek, w rozmowie rzucają soczyste przekleństwa, a w niedzielę
w czarnych ślubnych garniturach stoją z tyłu kościoła, obra-
cając berety w dłoniach o spękanych, czarnych paznokciach.
Nie płaczą jak dzieci ani nie uganiają się na rowerach po lesie
za bezpańskimi psami, nie stoją godzinami przed furtką, za-
czepiając dzieci wracające ze szkoły, nie wiążą na sękatych,
owłosionych nadgarstkach kolorowych sznurówek.

– On już się taki urodził i nic nie poradzisz – mówiła mama. –
W tamtych latach nie było inkubatorów, operacji, rehabilitacji,
więc jest, jaki jest. Zawsze kuzyn i trzeba traktować jak swojego. Nic się nie bój, dziecko, bo on i muchy nie skrzywdzi.

Starała się więc traktować go jak niedorozwinięte dziecko
w ciele dorosłego człowieka, nie zwracać uwagi na jego twarz
pokrytą czarną szczeciną, kontrastującą z dziecinnym głosem, ani na zaczepki. I tym razem, kiedy pchnęła zardzewia-
łą, pomalowaną olejno na sraczkowaty kolor furtkę – ciotka
co roku malowała ogrodzenie kolorem, który akurat był do-
stępny w osiedlowym blaszaku, i od kilku lat był to ten sam
kolor: brudnobeżowy, ohydny, ukrywający się w wielkich
blaszanych puszkach opatrzonych etykietą z napisem „jasny
orzech", choć nikt nigdy nie widział orzecha w tym odcieniu – postanowiła, że zignoruje jego zaczepki, spróbuje zbyć
go uśmiechem i przejdzie od razu do wnętrza domu, ostrożnie niosąc sfatygowaną siatkę na zakupy wypchaną cudem
zdobytym na mieście papierem toaletowym i czarnymi raj-
stopami odebranymi z repasacji.

– To ty, Małgoś? – głos ciotki dobiegał z kuchni, krzątała
się jak zawsze przy kaflowym piecu, szykując obiad dla siebie i syna.

– Ja, ciociu, mam papier dla cioci! – odkrzyknęła i wtedy
usłyszała ten dźwięk.

Płakał jak małe dziecko, którym był gdzieś tam, w środku, brudną ręką rozmazywał po twarzy smarki i łzy, kreśląc

brudnoszare smugi na policzkach. Jego szare drelichowe port-
ki ociekały wodą i przez głowę Gośki przebiegła absurdalna myśl, że to od płaczu, że wypłakał całą kałużę łez, tak
głęboką, że słona woda sięgała mu do kolan i wlewała się
w gumiaki. Gumiaki jednak stały obok, oblepione gliniastym,
rudym błotem i ziemią, a z mokrych nogawek wyłaziły czarne,
pocerowane skarpety z siateczką przetarcia na dużym palcu.

– Zenuś, co ci się stało? – dziewczyna poczuła nagły przy-
pływ tych samych uczuć, które pojawiały się zawsze, kiedy
młodszy brat skaleczył się czy upadł i zanosił się szlochem;
uczuć, których ledwie kilka lat później miała doznać na widok
pierwszego syna w szpitalnym, plastikowym wózeczku.

Mężczyzna podniósł na nią swoje wodniste, niebieskie
oczy w otoczce wypłowiałych rzęs, przekrwione od łez.

– Chciałem się tylko zabawić – wyszlochał – i tak była
już popsuta, widziałem, jak ją psuł taki jeden, w krzakach
przy szkole. Dotknąć tylko chciałem, pomacać... i poleciała,
i wpadła mi do wody, a ja nie umiem pływać – rozszlochał
się na dobre. – Wyciągnąć żem chciał, ale mi popłynęła, do
Wisły, do morza!

– Czym się chciałeś bawić, lalką? – zapytała ze śmiechem. –
Wiesz, że chłopcy nie bawią się lalkami.

Ale on nie patrzył już na nią, oczy mu zmętniały, zaszły
mgłą jak zaparowane okulary. Wiedziała, że w tym stanie nie
widzi niczego, bo za chwilę chwyci go atak – czasem prze-
wracał go na ziemię i trząsł bezlitośnie, wyładowania w cho-
rym, dziurawym jak nadgniły kartofel mózgu wprawiały jego
ręce i nogi w dziwaczny taniec, a czasami po prostu zagapiał
się w siebie, do wewnątrz, i tylko jedna ręka mu chodziła,
jakby wystukiwał rytm niesłyszalnej dla nikogo innego me-
lodii. „Wszystkie nieszczęścia – mawiała ciotka – wszystkie
naraz. Nie dość, że padaczka, to jeszcze nienormalny, kara
Boska dla mnie i dla mojego świętej pamięci Zdziśka, dobrze
że nie dożył".

Teraz jednak ciotka nie mamrotała o karze Boskiej, za to wychyliła się z ganku, wycierając czerwone dłonie w fartuch, i krzyknęła:

– Chodź no, Małgoś, masz dla mnie te pończochy, co miałaś mi odebrać? Wejdź no wreszcie, zostaw go, nie mam siły do niego, pół dnia dzisiaj tak kiwa się i płacze! Jak go przestanie trząść, to zapomni o wszystkim i spać pójdzie albo do Wandzi pojedzie, z nim to człowiek nigdy nie wie. A ty sobie tymczasem zjedz, placki kartoflane zrobiłam, cukru ci posypię.

Gośka przełykała pospiesznie grudowate, przypalone placki posypane obficie cukrem. Tak bardzo chciała już wrócić do domu, być z dala od tej rudery – z której ciotka uparcie nie chciała się przenieść do ich pokoju gościnnego na piętrze – że nie dopiła herbaty po obiedzie. Zostawiła dobre parę centymetrów żółtawego płynu w szklance, wymówiła się lekcjami i czym prędzej wyszła. Zenek spał na tej samej ławeczce, na której go zostawiła. Wyliniały rudy kogut, za stary na rosół, leniwie dziobał ziemię tuż obok stóp w przetartych czarnych skarpetach. Z kącika ust mężczyzny ściekała powoli strużka śliny, jego piersią, jak ciałem śpiącego dziecka, co jakiś czas wstrząsał cichy spazm szlochu, jakby we śnie jeszcze raz odtwarzał to, co tak go zasmuciło jakiś czas temu. Było już prawie ciemno, zmierzch jeszcze przed wiosenną zmianą czasu, ale w szarówce sznurowadło wystające z kieszeni waciaka świeciło jaskrawo, jak fosforyzujące samochodziki, którymi bawił się młodszy brat Gosi z bratem Karoliny.

Delikatnie wyciągnęła sznurówkę z kieszeni i zwinęła w ciasny rulonik. Przyda jej się na pewno bardziej niż kuzynowi. Dopiero kilka dni później miała porównać ten nienaturalnie zielony kolor z kolorem drugiego sznurowadła od pary – oplecionego wokół rączki kierownicy czerwonego roweru marki Wigry, który znaleziono na gliniastym brzegu kanałku, tuż przy mostku złożonym z czterech rur przerzuconych nad wodą.

FOTOGRAFIA

Papieros się dopalił. a ja nawet nie zauważyłam. Na spodeczku leżał filtr i kilka centymetrów szarego popiołu, jak duch papierosa. Beata niemal zastygła przy stole, tylko jej palce przesuwały listki sałaty na półmisku z wędliną, w poszukiwaniu idealnej kompozycji. Z dużego pokoju dobiegała muzyka – Tomek zrezygnował z poszukiwań lat osiemdziesiątych i włączył Antyradio, w którym jakiś prześmiewca na tle ostrej, rockowej muzyki parodiował polityków. Piotr, ledwo słyszalnie, ale z wyraźną irytacją, kontrował każde zdanie spikera swoimi sarkastycznymi uwagami.

– Zenek? – zapytałam wreszcie z niedowierzaniem. – Zenek to zrobił?

– Nie jestem pewna – Gośka wzruszyła ramionami. – Ja tylko znalazłam u niego sznurowadło i to.

Wyciągnęła z szuflady pognieciony kartonik, poplamiony błotem i spękany. Znałam tę fotografię. Były cztery odbitki. Fotograf, który przyjechał do szkoły, ustawiał nas pod ścianą nienaturalnie uśmiechnięte i ubrane w najlepsze, najmodniejsze, peweksowskie i bazarowe bluzki z koronkowymi kołnierzami i swetry haftowane srebrnymi nićmi na różowym tle. Kiedy już fotografia całej klasy była gotowa, przyszedł czas na zdjęcia „koleżeńskie" i wszyscy ustawiali się grupkami na tle zielonej olejnej lamperii. Chłopcy przestępowali nerwowo z nogi na nogę, a dziewczyny mizdrzyły się, zakrywając zbyt szerokie uśmiechy dłońmi o obgryzionych paznokciach.

– Wyeksponujmy to, co najpiękniejsze – powiedział fotograf, przerzucając koński ogon Anety przez jej lewe ramię. Ona zarumieniła się, jakby słowo „najpiękniejsze" nie mogło w żaden sposób odnosić się do niej, poprawiła okulary sklejone plastrem na rogu oprawki – i tak została na fotografii: okulary, rumieniec i kaskada szaroblond włosów spadająca na przód żółtej, tandetnej bluzy ze spranym napisem „college". Obok niej wyprostowana Beata w makijażu dorosłej kobiety, Gośka trzymająca ręce w kieszeniach spodni tak opiętych, że na udach marszczyły się w drobne fałdki, i wreszcie ja – pyzata, ni to kobieta, ni to dziecko, z oczami ledwie widocznymi spod grzywki i wiewiórczymi zębami wystającymi z ust pomalowanych błyszczykiem.

Nigdy nie napisałyśmy sobie dedykacji na tych zdjęciach, bo przyszły do szkoły tuż przed tamtym dniem, kiedy ja stałam za krzakami, Beata fotografowała polaroidem, a Krystian dodawał sobie odwagi piwem i papierosami. To nie był dobry dzień na dedykacje i wierszyki o wiecznej przyjaźni pisane na odwrocie zdjęć klasowych i podpisywane przezwiskiem.

Dlatego to zdjęcie nie było podpisane, na odwrocie nie było niczego poza na wpół zamazaną datą, a i same postaci były ledwie widoczne na wygniecionym arkusiku.

– Coś ty z nim robiła? – Beata spojrzała z niedowierzaniem.

– To nie moje. Moje jest w albumie na regale – powiedziała Gośka. – To znalazłyśmy z ciotką, jak umarł Zenek, w jego skrzyneczce na strychu.

– Skąd on je miał?

– Albo znalazł, może jej tam wypadło z kieszeni gdzieś w krzakach, jak poszłyście ją postraszyć – Gośka zamyśliła się – albo sam wyjął, jak próbował się z nią szarpać nad kanałkiem.

– Nie wierzę... – szepnęła Beata ledwo dosłyszalnie. Nabrała tchu, jakby chciała jeszcze coś powiedzieć, ale wtedy drzwi kuchni uchyliły się i stanął w nich Tomek.

– No, dziewczyny, będzie coś do jedzenia? – zapytał. – Chipsy nam się skończyły, a pan radny już zaczyna o lustracji i podatkach dla najbogatszych, warto by go czymś zapchać, zanim się rozkręci – mrugnął do mnie porozumiewawczo.

Nadszedł czas na wielkie wejście kobiet do salonu, tace w rękach i uśmiechy na twarzach w odpowiedzi na pełen aprobaty wzrok naszych mężczyzn.

Kiedy kilka godzin i kilka butelek czerwonego wina później odjeżdżaliśmy taksówką, wiedziałam już, że nieprędko – jeżeli w ogóle – przyjadę tu znowu. Czułam się, jak gdyby ktoś nareszcie przeciął niewidzialną linkę, którą byłam od zawsze przypięta do tego miejsca.

Gdy wyjeżdżałam z Leśnego po raz pierwszy, nie wyjechałam do końca. Były lata dziewięćdziesiąte, lata wielkiej zmiany. Nasi starsi koledzy prosto z liceum, w garniturach ze studniówek, szli na kierownicze stanowiska w wielkich korporacjach. Chłopcy z Leśnego rzucali szkoły i otwierali szczęki na ulicznych dzikich bazarach, zarzucali je tonami sprowadzanego z Niemiec towaru i w kilka miesięcy zarabiali na zielone garnitury i tęczowe krawaty noszone do czarnych mokasynków z frędzelkami, na czarne pudła telefonów komórkowych i zachodnie auta – albo tracili wszystko i za pożyczone pieniądze otwierali nowe szczęki na nowych ulicach. Nasze matki zwalniano z pracy, zużyte i niepotrzebne jak odchodzące w muzealną niepamięć teleksy i kalki maszynowe, żeby zastąpić je olśniewającymi dwudziestolatkami, dla których klawiatury komputerów były jak przedłużenie palców. Ulice zmieniały nazwy, bohaterowie licznych rewolucji i zrywów ustępowali miejsca batalionom Armii Krajowej, piłsudczykom i amerykańskim prezydentom, a domy na Leśnym pączkowały nadbudówkami, wieżyczkami i mansardami. W ogrodach wyrastały niemieckie krasnale i bożonarodzeniowe dekoracje na świerczkach, ogrodzenia podłączano do prądu i instalowano tablice z napisem „obiekt chroniony".

Mniej więcej wtedy zginął ojciec.

1991: WHERE THE STREETS HAVE NO NAME

Matka Karoliny postarzała się o wiele lat w ciągu jednego dnia – dnia czekania na powrót ojca. Dnia, kiedy wreszcie wieczorem zadzwonił do furtki policjant w niebieskim mundurze i zapytał tylko: „Czy pani Halina Borkowska?". Berta leżała osowiała nad miską pełną kaszy. Od wielu dni niewyprowadzana do lasu sprawiała wrażenie, jakby straciła całą energię. Teraz spacery z psem polegały na wyjściu za furtkę, przejściu kilku kroków po osiedlu i powrocie do domu.

Karolina wróciła do szkoły parę dni po pogrzebie, który odbył się w świeckiej kaplicy na Powązkach; mistrz ceremonii nieudolnie naśladował kapłana jakiejś mieszanej, ogólnodostępnej religii. Dni spędzone na porządkowaniu rzeczy, ubrań, dokumentów minęły jej w jakimś półśnie, poza świadomością. Jazda autobusem do centrum w jasne wiosenne poranki, która dawniej, gdy była tylko odmianą od codziennego podwożenia przez ojca albo mamę, wydawała się jej przygodą, teraz dłużyła się nieznośnie. Wiedziała, że śmierć ojca oznaczała koniec pewnego etapu, że teraz będzie musiała dorosnąć – nie powoli i niedostrzegalnie, jak powinno to wyglądać, ale z dnia na dzień.

Wcisnęła głębiej do uszu słuchawki walkmana; U2 i *One* z kasety *Achtung Baby* kupionej pod Pałacem Kultury któregoś dnia po szkole. Dźwięk hipnotyzował ją, sprawiał, że dojazdówka za oknami autobusu wydawała się teledyskiem do muzyki, dekoracją, podobnie jak pasażerowie autobusu podmiejskiego, poruszający niemo wargami, czytający gazety, zaspani. Ktoś wyrwał ją z transu, poczuła dotknięcie przez grubą, niby to wojskową kurtkę. Spojrzała – Krystian. Stał tuż za nią, duch z czasów szkoły podstawowej, kiedy wszystko było możliwe, a jednocześnie wszystko było zakazane. Uśmiechnęła się leciutko, bardziej do siebie niż do niego.

– Dawno cię nie widziałam.

– Pomieszkiwałem u starszej, w Ameryce. Do szkoły jedziesz?

– Do szkoły.

Na chwilę wszystko wróciło zwielokrotnionym echem, jak po trzaśnięciu drzwiami na podwórzu starej kamienicy – Aneta, dym papierosów, dom z mansardowym oknem – i znowu zniknęło, zostawiając po sobie... coś... posmak, ślad zapachu, powidok jak po spojrzeniu prosto w jaskrawą żarówkę. Teraz, kiedy Beata chodziła do elitarnego liceum i randkowała ze studentami i uczelnianymi asystentami, kiedy Karolina spędzała wieczory i popołudnia w towarzystwie zmieniających się chłopaków, noszących długie, proste włosy i grających w zespołach metalowych, a w weekendy chodziła na ich koncerty w podmiejskich domach kultury, kiedy ani wino, ani papieros, ani pocałunek nie były zakazane, wszystko mogło się zacząć na nowo, tak jak trzeba, jakby nigdy wcześniej się nie znali. Ale się nie zaczęło. On wysiadł przy placu Bankowym, ona przystanek dalej.

Kilka tygodni później matka przyniosła do domu poskładane kartonowe pudła i dała ogłoszenie do gazety o sprzedaży antycznych, dębowych mebli z dużego pokoju. Po meble przyjechał przedsiębiorca z niedalekiej ulicy, w lśniąco białych adidasach i szeleszczących dresowych spodniach, które nie przystawały ani do jego posiwiałej czupryny nad ogorzałą twarzą, ani do ciemnych, rzeźbionych kredensów. Zapłacił gotówką z plastikowej aktówki – dziesiątki milionów złotych w równiutkich paczkach przeliczone czerwoną, spierzchniętą dłonią. Po jakimś czasie matka dała kolejne ogłoszenie, tym razem o sprzedaży domu – żałośnie opustoszałego ubogiego krewniaka nagle wzbogaconych i rozkwitających sąsiadów. Do sprzedania został już tylko samochód, jasnozielony volkswagen golf o wiecznie zacinającym się zamku od bagażnika, ale wykorzystały go do przewożenia pudeł do mieszkania babci, na ósmym piętrze bloku przy kościele Zbawiciela. Matka siedziała już na miejscu kierowcy i niecierpliwie poganiała Karolinę. Ruda farba pokrywała jej włosy od połowy, odsłaniając blond odrosty przetykane siwizną. W przedsiębiorstwie mówiono o zwolnieniach, nikt nie potrzebował starzejących się kierowniczek z poprzedniej epoki, lecz po śmierci ojca wyrok odroczono na jakiś czas.

Karolina przegrzebywała ostatnie szuflady, patrząc, czy nie zostało w nich nic, co mogliby znaleźć nowi właściciele, hałaśliwa rodzina z brzydkimi, grubymi dziećmi i matką dumnie prezentującą garnitur złotych zębów, tworzących komplet ze złotem na szyi, w uszach i na serdelkowatych palcach. Wyrzucała do kubła na śmieci jakieś kawałki sznurka, kiedy jej uwagę przyciągnął zmięty kartonik. Z czarno-białej fotografii patrzył na nią ojciec taki, jakiego pamiętała z dzieciństwa – z bujną czupryną ciemnych włosów i cieniem zarostu na policzku.

Kapitan Milicji Obywatelskiej.

– Więc jednak? To wszystko była prawda? – podsunęła matce kartonik pod nos. – Dlaczego nigdy mi nie powiedziałyście, ty i babcia?

– A po co miałam ci mówić? Kochałabyś go mniej? – matka mówiła znużonym szeptem, jakby nie chciało jej się nawet podnieść głosu. – Czy to ważne? Teraz i tak go nie ma – dodała jeszcze i przyłożyła do legitymacji żarzący się czubek papierosa.

Brązowa plamka szybko zmieniła się w dziurę o płonących, poszarpanych brzegach, a po kilkudziesięciu sekundach czarne strzępy popiołu wylądowały w samochodowej popielniczce pomiędzy niedopałkami carmenów a papierkami od gumy do żucia.

– Jedziemy – powiedziała matka – babcia czeka na nas z obiadem – i przekręciła kluczyk w stacyjce.

Przez wiele miesięcy Karolina budziła się rano w pokoju urządzonym dla niej przez babcię i patrzyła z niedowierzaniem przez okno na wieże kościoła Zbawiciela i neon linii lotniczych KLM, a później Samsunga, z poczuciem kompletnej obcości. Za oknem powinno być Leśne, z ogrodem pełnym krzewów i drzewek owocowych pielęgnowanych przez ojca, ze smrodem zgnilizny przywianym od kanałku i z ujadaniem starego psa sąsiadów zamiast zgrzytu tramwajów hamujących na placu Zbawiciela. Wracała na Leśne co tydzień, później co kilka tygodni, przywiązana niewidzialną smyczą do morwowego drzewa i mostku nad kanałkiem, do przystanku przy pętli autobusowej i budki z lodami przy wylotówce. Jeśli w domach koleżanek otwierali jej rodzice, informując, że Gośki, Beaty, Anki nie ma, włóczyła się po zabłoconych uliczkach przesiadywała na murku pod szkołą i na polach, w blaszaku przemianowanym na minimarket „Manhattan" kupowała colę i paczkę kapitanów, które wypalała, siedząc na rurowym mostku. Aż któregoś dnia, przed maturą, kiedy bzy w ogródkach zaczynały wydzielać ciężki, przyprawiający o migrenę zapach, a płatki jabłoni spadały jak wiosenny śnieg, zadzwoniła do furtki domu z mansardą, jakby przyzywały ją inicjały wydrapane w cegłach. Otworzył jej Krystian. Oczy błyszczały mu nienaturalnie pod kurtyną jasnych włosów. Wymamrotała coś nieskładnie o tym, że przeszkadza, przeprasza i w ogóle nie chce robić kłopotu. On zamiast odpowiedzieć, zabrał ją do obskurnego baru przy cmentarnym murze. W barze kilku pijaków kiwało się nad szklankami piwa, oni zamówili kawę z fusami i winiak – luksusowo, jak im się wydawało – a potem naturalnie i bez zbędnego zastanawiania się wylądowali w łóżku na poddaszu, pod oknem, przez które wiele lat wcześniej wioskowy wariat widział trzy dziewczynki.

Kiedy Krystian zniknął bez śladu, przestała przyjeżdżać, a jeśli już, to tylko na zaproszenie, prosto do domu Gośki okrągłej jak księżyc w pełni, pełnej dziecka i mleka, a potem już tylko mleka. Do Beaty, której matka cichą uprzejmością próbowała nadrobić te lata, kiedy znały ją wyłącznie jako ducha nasiąkniętego alkoholem, kiwającego się nad pianinem. Ulice pokrywał świeży asfalt, domy zyskiwały nowe kolorowe tynki, wyrastały płoty i latarnie, sklepiki zmieniały się w markety i delikatesy, piekarnia obrosła sklepem meblowym i kamienicą, a ugór przy wylotówce, tuż przed tablicą z przekreślonym napisem „Warszawa", zawłaszczyły żółte łuki fast foodu. Na polu po pegeerze wykopano doły, w które maszyny wlały beton, a gdy Gośka rodziła drugiego syna, na osiedle Leśne Paradise Park wprowadzały się rodziny nowych menedżerów i accountów, copywriterów i *junior executives* z bagażami złożonymi z mebli z Ikei i kredytu mieszkaniowego na dwadzieścia pięć lat. Autobus podmiejski zastąpiono warszawskim pospiesznym i pewnego dnia Karolina, wysiadając z niego, znalazła się w miejscu znanym, lecz obcym, zmienionym do granicy rozpoznania. Jednak niewidzialny łańcuch trzymał mocno. Nadal, o poranku, czy też nocą, o tej godzinie, kiedy wstaje świt, a staruszkowie przestają oddychać, Leśne wracało w migawkach wspomnień, w snach tak żywych i pogmatwanych, że zostawały na długo na granicy pamięci, umykające świadomości, a jednak dręczące przez cały dzień.

2008

Dopiero teraz, jadąc taksówką do domu na drugi koniec miasta, u boku Piotra ożywionego winem i sobotnim wieczorem, który płynnie przeszedł w niedzielny zimowy przedświt, pierwszy raz nie czułam potrzeby oglądania się za siebie. Taksówka sunęła zaśnieżonymi ulicami pośród cichych, uśpionych domów, z rzadka ożywionych nocną lampką w oknach na piętrze. Dom Krystiana, mdłe światełko w pokoiku dyżurującej pielęgniarki. Pętla autobusowa – wymarła, bez tłumku czekających na pierwsze poranne 729. Blaszak, piekarnia, pusty placyk po domu Zenka, nowe, solidne ogrodzenie szkoły, kładka nad dwupasmową szosą. Wszystko oddalało się w ciszy, mknąc za bocznymi szybami. Tym razem Leśne było jak jedno z tych miasteczek, które mijamy, jadąc ekspresowym pociągiem na drugi koniec Polski – patrzymy na rozrzucone domy i uliczki i zastanawiamy się, jak to możliwe, że ludzie tu żyją tak samo jak my, w takim nie-wiadomo-gdzie, na środku niczego, nie chce nam się nawet sprawdzić nazwy mijanej miejscowości, a po godzinie nie pamiętamy już, że przez nią przejeżdżaliśmy.

Leśne zniknęło, taksówka wjechała na most, po lewej stronie mignęła Wisła, potem minęliśmy kościół i szpital. W tle cichutko grała stacja ze starymi przebojami, ulubione pasmo taksówkarzy w takie śnieżne noce.

– Pogadałyście sobie chociaż? – zapytał Piotr, próbując jakoś przerwać milczenie.

Kiwnęłam tylko głową, nie chciało mi się wkładać choćby minimum wysiłku, żeby mu to ułatwić.

– Wiesz, zawsze jak widzę te twoje koleżanki, to przychodzą mi na myśl te żony... wiesz, z tego serialu, co to wszyscy mieszkają na ładnym osiedlu, a w każdym tym domku jest jakiś trup w szafie.

– My już nie mamy trupa, nie ma się czego bać – powiedziałam dokładnie w chwili, gdy taksówka zatrzymywała się pod zamkniętą na głucho bramą osiedla.

Ze stróżówki wygramolił się zaspany ochroniarz i otworzył nam furtkę. Przekręciłam klucz w zamku najciszej, jak umiałam, żeby nie zbudzić Weroniki. Alkohol wyparował ze mnie razem z ekscytacją po wysłuchaniu kuchennych rewelacji Gośki i teraz czułam już tylko znużenie. Jednak zamiast poddać mu się, paść na łóżko i natychmiast zasnąć snem bez snów, otworzyłam laptop leżący na środku kuchennego stołu, strąciłam z blatu kartki zapisane jakimiś nieistotnymi uwagami, informacjami i cytatami i usiadłam do pisania.

Dwa dni później – dwa długie dni, które upłynęły w blasku komputerowego ekranu, w smrodzie mrożonek przypalanych przez Weronikę przygotowującą obiady i przy akompaniamencie monotonnych narzekań Piotra – drukarka wypluła z siebie stos kartek, które spięłam zszywaczem i spakowałam do grubej, brązowej koperty razem z zeszytem oklejonym przezroczystą taśmą. Pamiętałam adres, znałam nazwisko. Byłam to winna siostrze Anety – ale nic poza tym. Nadałam paczkę na poczcie, pustej o tej porze dnia, kiedy dzieci z osiedla uczą się w drogich szkołach w centrum, a ich rodzice zarabiają w korporacjach na spłatę kredytu za mieszkanie w ogrodzonej enklawie wybrukowanej kostką. Odeszłam od okienka prosto w mroźny poranek. Nagle zorientowałam się, że mam na sobie te same czarne spodnie w kant i satynową bluzkę, w których wyszłam wieki temu z urodzin dawnej koleżanki. Że na bluzce zesztywniała dwudniowa plama od majonezu z sałatki, a moje włosy przesiąkły dymem i wietrzejącymi perfumami. Wzruszyłam tylko ramionami. I tak zawsze uważano mnie za dziwaczkę. Byłam tą niepracującą spod 67, która całe dnie robi nie wiadomo co, zamiast pracować jak ludzie. Cóż znaczyło jedno wyjście na ulicę w stroju wizytowym o dziewiątej rano i narażenie się na potępiający wzrok ciężko opłacanych niań i sprzątaczek? Mroźne powietrze przyprawiło mnie o zawrót głowy. Musiałam się położyć i odespać. A po przebudzeniu wreszcie będę mogła dorosnąć.

SPIS TREŚCI

Teresa ma dom, męża i dzieci. Wydaje się szczęśliwa.
Przypadkowe spotkanie z Marcinem, jej młodzieńczą
miłością, przywołuje wspomnienia i na nowo budzi
wzajemną fascynację. Kobieta staje przed trudnym
wyborem: rzucić się w ramiona dawnego ukochanego
i przekreślić ostatnie dziesięć lat czy dalej być wierną żoną
i zmagać się z ciągłym uczuciem niespełnienia?

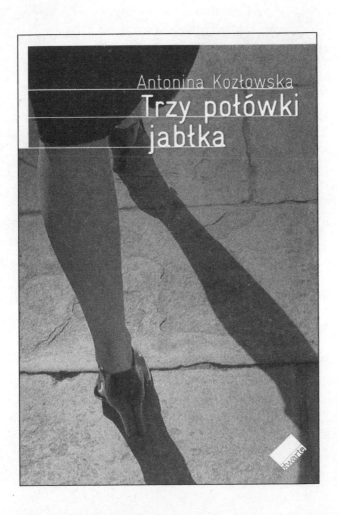

Przyjaźń, miłość, zdrada.
Po przyjęciu z okazji swoich trzydziestych urodzin
Rachel budzi się u boku narzeczonego Darcy, najlepszej
przyjaciółki. Chce o tym jak najszybciej zapomnieć, ale...
zakochuje się. Co wybierze Rachel: miłość czy przyjaźń?

Dalsze losy bohaterek powieści *Coś pożyczonego*.
Tydzień przed ślubem narzeczony rzuca Darcy, bo...
zakochał się w jej najlepszej przyjaciółce. Dziewczyna
wpada we wściekłość, choć sama spodziewa się dziecka
z innym. Postanawia zacząć wszystko od nowa.
Opowieść o wewnętrznej przemianie, dojrzewaniu do
macierzyństwa i miłości.

Prowokująca historia małżeńska.
Claudia i Ben nie chcą mieć dzieci, wolą robić karierę,
podróżować, korzystać z życia. Do czasu... Pewnego dnia
Ben oświadcza, że pragnie dziecka. Claudia nie zamierza
zostać matką. Jak potoczą się ich losy? Czy ich małżeństwo
wytrzyma tę próbę?

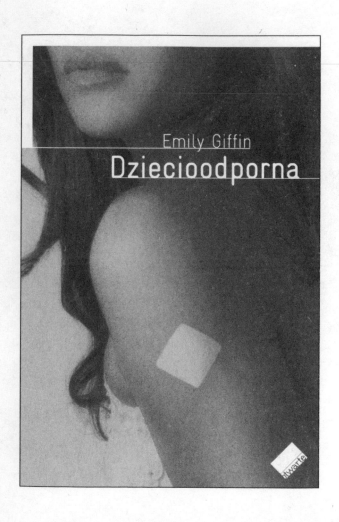

Emily Giffin
Dziecioodporna

Piękna i mądra opowieść o miłości.
Sto dni po ślubie Ellen spotyka Leo, swoją dawną wielką
miłość. Odżywają uczucia ukryte głęboko w sercu. I budzą
się wątpliwości – czy jej mąż Andy jest tym jedynym,
z którym chce być już zawsze?

Emily Giffin

Sto dni po ślubie

Kolejny bestseller autorki
Coś pożyczonego i Coś niebieskiego

Wydawnictwo Otwarte sp. z o.o.,
ul. Kościuszki 37, 30-105 Kraków. Wydanie I, 2009.
Druk: Colonel, ul. Dąbrowskiego 16, Kraków.